UNIVERSALE
ECONOMICA
FELTRINELLI

# PAOLO SORRENTINO
## Tony Pagoda
## e i suoi amici

© Giangiacomo Feltrinelli Editore Milano
Prima edizione ne "I Narratori" maggio 2012
Prima edizione nell'"Universale Economica" maggio 2014

Stampa Grafiche Busti - VR

ISBN 978-88-07-88431-3

Tony Pagoda e i suoi amici

*A Peppe,*
*che mi manca ogni giorno.*

# Prefazione

### di
### Ughetto De Nardis

> Come avviene tra gli indigeni della Nuova
> Guinea, il vero scopo del matrimonio non è
> tanto quello di ottenere una moglie, quanto
> quello di assicurarsi un cognato.
>
> CLAUDE LÉVI-STRAUSS, *Razza e storia*

Insomma Pagoda Tony chiede esattamente al sottoscritto, l'ex cognato suo, Ughetto De Nardis, di fare un'introduzione a queste sue esperienze qui di seguito che a me, ve lo dico subito, non mi sono piaciute neanche un poco. Ma proprio lo zero. Lo capite che significa lo zero? Insomma certi racconti, mo' io non è che capisco di letteratura avendo semplicemente superato a tentoni la terza ragioneria, però insomma li ho letti con la solerzia dell'ignorante e ve lo dico col cuore sulla manèlla pelosa: quando vuole fare ridere non mi fa ridere neanche sì che. Quando fa l'espertone di vita mi sembra che sta fuori come un balconcino fiorito. Quando mi vuole fare commuovere non me ne frega un cazzo perché devo vedere la televisione.

(Mi piacciono assai quelle del grande fratello, tutte indistintamente. Quando ci si accinge all'eliminazione, io prego, dico, Gesù fa' che se ne vada a fare in culo un maschio.)

Dice che è tutto vero in questo libro, a me molte sembrano puttanate in grande, disinibita libertà. Anche perché se c'è uno nel mondo che conosce a Tony come le sue pacche quello sono io. Anzi, mi spingo a dire, che lui ha imbastito il suo personaggino che ancora se ne va in giro, ispirandosi a me che sono davvero quello che ne ha combinate che ne ha combinate a Napoli, provincia e mondo circostante. Tony è una merda per molti versi. Rubacchia qua e là, da me moltissimo e fa passare tutto per roba sua. Perché ha chiesto a me la prefazione, proprio mi sfugge, visto che io non ho mai avuto problemi a dire le cose come stanno neanche ai boss di Grumo Nevano e di Casandrino, figuriamoci se mi metto paura del cantante da night con l'artrosi che lo ferisce. Io lo sputtano con una certa allegria a Tony Pagoda dentro a queste paginette che mi ha commissionato. Tra parentesi, la contrattazione è stata estenuante, come dicono quelli intelligenti. Io volevo duemila euro, lui ha controbattuto: te ne do quattordici. Allora io ho preso una sedia del tinello, sapete quelle anni settanta che tengono sì la paglia intrecciata al centro, ma che sono circondate dai tubi di ferro pieni pieni dentro? Ecco, proprio quelle e senza dire né A né B gliel'ho scaraventata sui capelli tinti di rosso. Lui, devo dire, si è scansato con un'agilità che mi è parsa cosa eccessiva per uno della sua età. Impagabile, il sottoscritto l'ha inseguito attorno al tavolo dicendogli che quando lo acchiappavo gli avrei staccato una recchia a morsi come cercai di fare tre anni fa col fidanzato di mia figlia quando si azzardò a rivelare il suo desiderio di lasciare la giovinetta per un transessuale di nome Helmut. Ora è serenamente sposato con la mia figliola in deficit di bellezza. Tutti teniamo alla recchia. Lui l'ha salvaguardata, il ragazzo. Ha pensato: meglio una vita così e così che la felicità senza una recchia. Dunque, al momento della minaccia di perdere la recchia Tonino mi è diventato ragionevole e con l'affanno e le ascelle che sembravano fontanelle ha rettificato intelligentemente: te ne do 1500. Mi devi fare la fattura però gli ho detto io che sono intelligentissimo e scarico dalle tasse tutto, alla faccia di manovre, crisi e severità, io riesco a scaricare dalle mutandine del bambino fino agli yacht di quaranta metri. Ragazzi, credete a me, lavorare al Cis di Nola* come fa il sottoscritto è una guerra senza quartiere e t'impari tutto: "Legalità, illegalità, 4-4-3, kung fu, manutenzione delle armi da fuoco, t'impari a fare le pizze, il sartù di riso, la cacca a mare e a scegliere tra cinquanta tipi diversi di budini, a rubare i cacciaviti elettrici, a vendere ai ricchi anche quello che già possiedono e non si ricordano più di possedere".

Gente di merda, esistono molte scuole, ma quella del commercio all'ingrosso che s'impara al Cis di Nola è la migliore di tutte. Tant'è che quelli di Harvàrd ormai vengono da me a fare gli stages e i mastèr. Quando è venuto il papa in visita un amico mio al cardinale che accompagnava il Santo Padre gli ha venduto durante il pranzo un set coordinato di tovaglia e dodici tovaglioli. No, voglio dire, avete capito che tipologia di gente bazzica il Cis? Gente che vi vende pure i vostri stessi pensieri e le vostre paure. E scarica tutto. Ma non ce ne andiamo per i cazzi laterali. Mi ha dato 1500 pallette, Tony, per parlare di lui e non posso, or dunque, mettermi a parlare di tutto quello che mi gira per la capocchia scapocchiata che tengo.

Anni fa, quando quel deficiente di Pagoda venne da me e mi disse che voleva sposarsi a mia sorella io parlai molto chiaro.

Gli dissi:

"Tony, è una scassacazzi con il diploma di scassacazzi. Non ti fare fottere. Non ci ha passione per la vita vera. Lasciala perdere. Ti fa accumulare la merda nella testa con una tale lentezza che il giorno che capisci che vuoi divorziare avrai compiuto novantasei anni. Io l'ho capito cosa ti piace a te. Questo aspetto remissivo e moribondo ti arrapa. E vabè! Ma quanto dura?

"Tu sei uomo cosmopolita e poliglotta, ti dico che ti rom-

* Il Cis di Nola è il polo per il commercio all'ingrosso più grande d'Europa. È situato alle porte di Napoli.

pi il cazzo. Tu non ce l'hai la tempra intellettuale per innamorarti di un unico concetto per tutta la vita. Lo capisci Tony? Gli ignoranti come te e me sono irrequieti. In tre minuti hanno finito di ragionare e devono passare appresso. Tu mo' ti metti a 'sta cariatide dentro casa e quella, lemme lemme, molle molle, non ti fa mai passare appresso e tu cominci a chiavare le capate nel muro. Senti a me. Sposati una stronza qualsiasi. Questa è troppo seria per te. Questa va cercando di fare quattro chiacchiere alle due del mattino perché ci ha l'esaurimento nervoso. Oppure si legge mezza cacata di libro e ne vuole parlare con te per sei ore, ma ti può capitare pure di peggio, guarda come te lo dico, questa è capace finanche di arrivare a dirti che te lo devi leggere pure tu il libro. E allora tu come la metti nome se si arriva a quel punto? Tu non ce l'hai la pazienza morale per sostenere queste puttanate. Tu rischi di darmi in escandescenza e poi va a finire che metti le mani addosso a mia sorella. Allora io per quanto ti voglio bene poi lo sai che ti combino. Perché lo sai che io a livello di mazzate non sono secondo neanche agli animali della giungla. A quel punto ti devo scommàre di sangue oppure fare finta di non averti trovato per non perdere la faccia con gli amici del Cis. Però questo poi significa entrare in tutto un reticolo di rotture di cazzo: tu che cambi città, incontri clandestini tra me e te come se fossimo amanti solo per il gusto di farci una chiacchiera. Insomma tutta una roba imbarazzante. Perciò, te lo dico con le buone, non fa per te mia sorella Maria".

Allora, non vi sembrava sufficientemente chiaro il mio discorso? A me sì.

E quello che fa? Prende e se la sposa. Ci fa una figlia. E come è andata a finire? Esattamente come dicevo io. Ma quando mai si è visto che un esperto commerciante del Cis di Nola sbaglia il pronostico? Ve lo dico io: mai, non si è mai visto. Quel demente di Pagoda pensava di aver ragione lui. Mi diceva: tu non capisci. Pensava, al tempo, di essere lui l'unico a capire perché aveva messo mezzo piede all'estero. Come se l'estero avesse qualcosa da insegnarci. Venite a contrattare sei quintali di tessuti con quelli di Eboli e poi mi dite se l'estero ci ha da insegnare qualcosa a noi della Campania. Quelli di Eboli prima di cedere sul prezzo ti fanno entrare in coma per stanchezza. Ne ho visti di maghi del tirare sul prezzo, ma vi assicuro che gli ebolitani sono paurosi. Sono pronti a invecchiare all'ombra dello 0,5 per cento di sconto. Quando ci hai il tempo a disposizione, nella trattativa puoi diventare un gigante. Lo capite questo, gente di merda?

Comunque, è roba passata. L'ho perdonato a mio cognato per il fatto che si è divorziato da mia sorella. A essere onesti, al posto suo avrei fatto esattamente la stessa cosa.

Ora che come cantante non riesce neanche più a fare arrivare la voce dal gabinetto al bidet, si è schiaffato in testa questa idea di fare lo scrittore e pare pure che ha trovato a uno più scemo di lui che glielo pubblica. Lo vorrei vedere in faccia a 'sto tizio. Comunque, lo pubblica o non lo pubblica, a me mi passa per il cazzo. I 1500 me li sono fatti dare in anticipo e ho preteso che nessuna correzione deve essere fatta a quello che scrivo. Lo so che sono claudicante sulla sintassi e sulla costruzione del periodo, ma la gente deve portare rispetto per quelli sfortunati come me che non hanno avuto la chance di completare il ciclo di studi.

Ad ogni maniera, sarei ingiusto se mi limitassi esclusivamente a elencare i difetti di Tony mio bello. Io gli voglio bene. Vale meno di mille lire, ma gli voglio bene. E ci ha delle qualità. Per esempio è un buon compagno di poker. S'intrallazza benino con lui, almeno in gioventù. Si ricorda bene i segni. È scaltro e non dà nell'occhio. Al momento buono ci ha il sangue freddo per prodursi nel bluff che apre un sentiero verso la vittoria imponente.

Ci ha un'altra cosa che mi piace, diciamo più esistenziale, ha coraggio e paura suddivisi a metà come quando apri l'ananasso. Cinquanta e cinquanta e questa è una cosa che ho sempre pensato che ti poteva portare dentro una vita lunga.

E poi ci ha la sensibilità spiccata. Pare superficiale, con quella mano perennemente immersa nei capelli tinti, ogni tanto gli rimane pure il colore sui polpastrelli, gli occhiali azzurrati che si aggiusta in continuazione e il complimento sconcio a ogni femmina che si aggira nell'arco di due chilometri e mezzo, e invece guardate che vi dice Ughetto: ci ha la sensibilità del farabutto. È psicologico. Capisce i dolori altrui meglio dei medici del Cardarelli. E pure le donne le capisce. Altrimenti proprio non si spiega questa sua fama da seduttore con quella faccia afflosciata che sembra quella di Ottavio Bianchi, l'ex allenatore del Napoli. Il fatto è che lui acchiappa i nervi scoperti e fa finta di ricoprirli con calore e partecipazione. Finge per portare a casa i risultati, ovviamente. Però ogni tanto gli scappa la lacrima vera. In fondo al cuore, ci ha un cuore. Lo devo ammettere.

Lui, a differenza mia che racconto solo quando devo vendere, ama raccontare roba su roba. Non la finisce mai. Sta sempre a parlare, eccetto quando gli viene la crisetta di malinconia. Ma, prevalentemente, sfodera aneddoti come il biliardino con le pesanti palline bianche. Sa anche prendersi in giro. Tiene l'autocritica a portata di mano. È sfrontato, ci ha la pausa e l'andamento thrilling nel racconto e fa sempre bella figura. Sì, certo, ora ci ha i suoi anni e fette di ridicolaggine lo attraversano dappertutto. È stato giovane più di quanto normalmente sia consentito e questo lo paghi con una certa dose di patetico in età avanzata.

Racconta, Tony, racconta, non fa altro che raccontare. Un repertorio infinito.

Eppure io so che c'è una cosa che non racconta mai, neanche a se stesso. Fa infinite prove generali del dolore. Ma il dolore vero che ci ha dentro, quello io lo conosco e lui non lo racconta. È un mistero. E per 1500 euro non ve lo racconto neanche io. Perché il dolore vero delle persone, chiavatevelo bene nella testa, non ha prezzo. Sul dolore autentico, anche quelli di Eboli soccombono.

Caro Tony Pagoda, non ci pensare più a quel dolore, se ci riesci. Ma tanto lo so che non ci riesci. È impossibile. Quel dolore ti perseguita, per quanto apparentemente insignificante, piccolo, non il dolore gigantesco a cui viene spontaneo pensare, tu non riesci a liberartene.

Quel piccolo dolore è un puntino davanti agli occhi che non se ne vuole andare.

Ma stai sereno.

Il tuo ex cognato e sempre amico Ughetto De Nardis, su questo punto, e solo su questo punto, non verrà mai meno.

# 1.

## Carmen Russo e Enzo Paolo Turchi

A me piace l'idea di buttarmi dalla macchina in corsa.

CARMEN RUSSO

Enzo Paolo Turchi e Carmen Russo non hanno figli, ma possiedono ventotto cani.

Essi si chiamano: Energie, Cippettina, Cassia, Chicchirichì, Nano, Energina, Lisa, Spugna, Jack, Ercole, Betty, Zizi, Pupetta, Nera, Negrita, Giulietta, Irma, George, Marylin, Capucchiello, Shakira, ET, Zorro, Chihuahua, Pallina, Piccirillo, Ugo e Lady.

Avevano anche due alani, Lothar e Ali Babà, ma adesso sono morti.

Energie è il preferito. Ha tutti i diritti del mondo e la massima priorità su chiunque. È di colore marrone. Enzo Paolo lo ha trovato in mezzo alla spazzatura di Secondigliano.

Di Energie, dice trionfante:

"Energie in Spagna è stato su Internet, è diventato famosissimo, lo volevano nei programmi, lui ha una personalità... lui ha una personalità...".

La frase sfuma nell'oscurità e la parola "personalità" acquisice, di colpo, la dimensione del mistero, dell'esoterico.

Dunque, si può intuire, ma non scoprire, di preciso, che tipo di personalità possieda Energie.

In passato, qualcuno ha proposto a Carmen ed Enzo Paolo di diventare protagonisti di un fumetto con loro due e tutta la muta di cani. La cosa non andò in porto.

In futuro, invece, probabilmente Enzo Paolo sarà l'interprete principale di un reality con centinaia di cani e lui, unica presenza umana, comparirà in qualità di maggiordomo delle bestie.

In questo senso, le trattative sono piuttosto avanzate.

Ma l'idea più ambiziosa, che mi raccontano con occhi limpidi e un pizzico di reticenza, come se la si potesse rubare, è quella che hanno proposto, senza successo, a vari produttori televisivi: una loro biografia, dal punto di vista dei cani. Dove, a parlare, sarebbero le dolci bestiole e non Carmen ed Enzo Paolo. Il racconto dell'idea al sottoscritto è preceduto da un breve preambolo, in cui mi dicono, con vago senso di complicità:

"Tu una cosa così la puoi capire".

Bene, ora dedichiamoci alla chiarezza, Pagodina vostro può capire molte cose, ma mica proprio tutto.

Ma il punto centrale di domanda è un altro: ne vale veramente la pena capire alcune cose? È davvero tutto rilevante? Non si ha sovente il sospetto di muoversi in un oceano d'irrilevanza e l'isoletta deserta, approdo di senso, sempre più lontana? Le onde dell'irrilevanza non si stanno facendo sempre più alte da impedire la visuale? Con spregiudicata autoironia, Enzo Paolo e Carmen chiudono il capitolo quadrupedi affermando che loro stessi, in realtà, somigliano a dei cani.

È proprio vero che quando la verità si fa implacabile l'uomo si mette a forgiare, con cura e professionalità, tutti gli strumenti della sopravvivenza. E ci riesce.


Io non li conoscevo Enzo Paolo e Carmen. È il solito Tonino Paziente che, d'imperio, mi ci ha portato a pranzo a casa loro.

"Li devi conoscere," ha detto, "sono brave persone."

È vero, sono brave persone. Schiette e straripanti come la

mozzarella che Enzo Paolo ha disposto con cura a tavola. La loro ospitalità è bella e commovente. Dopo il capitolo quadrupedi, davanti a dei peperoni, prende il sopravvento, come una voragine, un paragrafo che ho sentito già troppe volte nella mia vita. *Noi artisti* è il titolo.

"Si è svegliata la vecchia," dice Enzo Paolo, alludendo a uno dei ventotto cani che sbadiglia. Una robina piccola e pelosa d'inedita bruttezza.

Ci diamo dentro con gli antipasti, e Carmen:

"Mi hanno offerto a teatro *La locandiera*, è interessante, contiene un messaggio psicologico. Enzo Paolo è un artista anche in cucina, perché ha il senso della misura. Io non ce l'ho il senso della misura, ma sono artista anche io".

Enzo Paolo:

"Noi siamo artisti. La normalità normale è banale. Io sono stato primo ballerino a Napoli, Rio de Janeiro, San Paolo, Bologna e grande amico di Nureyev. Io sono diventato tra i maestri di danza più famosi del mondo perché a me piace più vedere chi balla che ballare. Ti piacciono i peperoni?" Dice tutto questo senza presunzione, come un dato di fatto.

Tonino, al mio fianco, a causa del sovrappeso, rantola, come se russasse, e tutti gli buttiamo degli sguardi, perché crediamo che dorma e invece è vigile come un rappresentante di cosmetici al momento di mostrare il catalogo. Però, il suo rantolo da sveglio distrae me, Enzo Paolo e Carmen. Frammenta, involontariamente, la conversazione sul tema *Noi artisti*.

Enzo Paolo mangia con un cane in braccio e gli passa, in una respirazione bocca a bocca, un biscotto. La cosa mi fa un poco senso. Carmen è imbottigliata in una scollatura che neanche Fellini avrebbe potuto immaginare. Il petto sfiora il piatto coi peperoni. Sui piatti di Vietri è scritto, con caratteri melliflui, "Carmen". In realtà, "Carmen" è scritto dappertutto. Un'orgia a sei lettere. La casa, d'altronde, si chiama "Villa Carmen" e ovunque ci sono foto di lei e di lui e copertine di vecchi "Blitz" ed "Eva Express" e ricordi e fotomontaggi e c'è sempre scritto dappertutto CARMEN. Tutto questo mi dà un leggero capogiro. Tonino Paziente russa da sveglio.

"Siamo artisti," dice Carmen, "e gli artisti non devono provare gratitudine per chi gli dà lavoro."

Un concetto che mi sfugge.

"Ti piacciono i peperoni?" insiste il biondo Enzo Paolo.

Annuisco in fin di vita e penso che vorrei saperne di più su quella storia della gratitudine, ma Enzo Paolo mi anticipa e mi stordisce con una frase clamorosa:

"Anche Berlusconi è un artista".

E io che mi ero illuso che facesse il politico.

Siamo tutti artisti, una bella combriccola.

Tra le tonnellate di foto esposte, ne scorgo una che ritrae l'artista Carmen e l'artista Berlusconi.

Lei mi sembra avere un'espressione molto grata, ma non lo dico perché mi ha appena detto che un artista non deve provare gratitudine.

Tonino rantola un po' di più, questa volta siamo sicuri che stia dormendo o che sia morto. Ci voltiamo a guardarlo tutti e tre all'unisono e invece sta fissando con occhi opachi un cane di bronzo di un metro per due che arreda l'angolo con i divani e un tv al plasma grande come un'imbarcazione da diporto.


Stremato dai peperoni, dalla mozzarella e dallo champagne, guadagno come un moribondo il divano. Cerco il silenzio. Lo trovo. Ma dura due secondi, perché undici chihuahua, nessuna differenza coi topi, mi puntano e avanzano a falcate verso di me con lo stesso impeto delle truppe in Normandia quando si aprivano i portelloni delle imbarcazioni. Galleggio nel terrore. Tutti gli animali al di sotto dei quaranta centimetri mi aizzano un panico furibondo. Urlo. Carmen corre in mia difesa. Mi libera dalle bestie a colpi di decolletè. Provo per lei un'immensa gratitudine e per questa ragione realizzo che non sono e mai sarò un artista. Tonino ed Enzo Paolo si danno da fare per rinchiudere i microcani in un recinto ad hoc. Io chiacchiero sul divano con Carmen.

Lei, senza dare importanza alla cosa, mi rivela:

"Feci una cosa coi Jefferson. Te lo ricordi il telefilm dei Jefferson no? Lo sai che i due che facevano marito e moglie si odiavano? Proprio non si rivolgevano mai la parola".

Chissà perché, questa notizia mi ferisce. Mi demolisce il concetto d'idillio che, nella mia mente bacata, corrispondeva alla relazione tra i coniugi dei Jefferson.

Poi, dal momento che non siamo più dei giovanottielli, viriamo sulla nostalgia della televisione che fu.

Lei mi fa:

"Anni fa, per andare in televisione, bisognava saper fare bene qualcosa. Per questo imparai a ballare, e poi non volevo che mi vedessero solo come una bonona. Oggi non è più così. Oggi anche chi non sa fare nulla va in televisione e questo è sbagliato".

Dice cose giuste, dunque le chiedo:

"E allora perché sei andata a fare *L'isola dei famosi*? Lì non bisogna ballare, non bisogna saper fare niente. Devi solo mangiare, dormire e sparare puttanate".

A questo punto, Carmen mi guarda e mi dice quasi allibita, come se fossi l'unico al mondo a non saperlo:

"Sono andata perché bisogna esserci, bisogna farsi vedere. La visibilità è importante".

Adesso silenzio.

Ma perché? Mi domando. Ma chi l'ha detto che il veicolo per soddisfare la propria vanità e il proprio portafogli consista nel farsi vedere in televisione? C'è il sospetto fondato che questo tipo di vanità sia così obsoleto. Di seconda fascia. Io provo il massimo rispetto per chi vuole arricchirsi e per chi esercita a ritmo costante l'amore di sé. Ma è proprio per questa ragione che bisognerebbe starsene altrove. I veri vanitosi ricchi predispongono le cose affinché si parli costantemente di loro senza che essi siano visibili. L'invisibilità alimenta il sospetto. Il sospetto fa dilagare la chiacchiera e la chiacchiera nutre l'ego. Ma bisogna avere pazienza per raggiungere quest'obiettivo. Una pazienza da monaci e una lavorazione da mosaicisti.

Un esercizio raffinato e oscuro del potere mai scisso dall'istintivo concetto della potenza.

In fin dei conti la reperibilità fa rima con dozzinale.

Perché quando ti butti in vetrina finisci sempre a gennaio col cartello dei saldi bene in vista. E con i saldi è sempre la stessa storia. Finisci per pensare che era roba che valeva poco anche quando la vendevano a prezzo pieno. Una truffa, insomma. Come la televisione.

Mentre ci liberavamo dei cani, Carmen mi ha detto che per lei la volgarità è tutto ciò che è fuori luogo. Ecco, stavo appunto per dirle che la televisione è fuori luogo, ma mi sono fermato un attimo prima. Perché ci hanno trascorso la vita, dentro alla televisione, lei e il marito. È un amore cieco. "All'amor non si comanda," diceva mia madre e un altro miliardo di persone. Anche se Carmen ed Enzo non riescono più a trovare con facilità le maniglie delle porte degli studi. Le hanno chiuse da dentro e ci hanno fatto entrare solo una massa di nullafacenti vestiti malissimo.

"Mentre io, Gesù, io ero una vedette," chiosa Carmen senza rimpianti e senza livore, ancora idealmente inguainata dentro una costellazione di paillette. Non lo so se è vero. Però "vedette" è una bella parola, che si è perduta anni fa, dentro le buste della spazzatura di scintillanti studi televisivi. Ora, invece, imperano lungo i pomeriggi strazianti certe tizie strazianti. Fasciate da dentature impeccabili e sordide vocine che rivendicano un'indipendenza da niente, poiché nessuno ha mai avuto voglia di assoggettarle. Sorridono smaglianti, mentre assassinano le ultime macerie del minimo comun denominatore del senso etico, però ciò che è più triste è che pretendono di avere ragione. Ciucce e presuntuose, diceva ancora una volta mia madre, e raramente si sbagliava. E cafone, aggiungeva mio padre e anche lui raramente si sbagliava. Ma lasciamo perdere, dico cose ovvie e qualunquiste quando l'irritazione mi aggredisce, ma non cose sbagliate.

Però la nostalgia, non è vero che è un sentimento infrequentabile. Alle volte, è l'unico toccasana.

È una spalliera, la nostalgia, che dovrebbe ricordarci l'inevitabile ritmo delle cose. E invece, tutte le volte che si ha voglia di accantonarla, la nostalgia, si finisce per confondere la vecchiaia con la gioventù. Le si mette nello stesso vassoio e, se il conto corrente lo permette, comincia un vortice discutibile. Si parte con la tinturina nei capelli e si approda al rifacimento delle piante dei piedi per via chirurgica perché si sono fatte tutte rugose. Ma tra capelli e piante dei piedi si finisce per dare un'occhiata pure a tutto il resto.

"Mi sono fatta qualche cosina qua e là perché ero armonica e devo rimanere armonica. Devo conservare la mia autenticità," sibila Carmen a proposito di ritocchini e bisturini, e, non paga, aggiunge:

"E poi per rispetto del pubblico per come mi ha sempre vista".

Ma il pubblico non glielo ha mai chiesto veramente, è una sua supposizione. Non può essere altrimenti, perché il pubblico non chiede mai niente. Il pubblico, cioè la gente, ci ha un sacco di cazzi propri a cui pensare e non ha proprio il tempo di mettersi a chiedere a quelli che vanno in televisione cosa devono fare. Questa è una pia illusione di quelli che stanno dall'altra parte.

"Il mio pubblico," dicono.

Ma "il mio pubblico" ci ha i figli tossici e le infezioni alla pelle con la dermatologia che non ci capisce niente e quando accende la televisione è pronta a commettere il tradimento in qualsiasi istante, nella maggior parte dei casi giusto per noia o per un poco di novità a buon mercato.

Il pubblico è una troia incosciente, lasciatelo dire a me che sono stato un vecchio cantante di successo e d'insuccesso.

Appena "gli artisti" si mettono a dire "il mio pubblico" ecco che quello se ne è già andato altrove con una spensieratezza da bambini ricchi. Allora "gli artisti" ci rimangono male e dicono: "Ma come?". E poi cominciano a inseguire questo fantomatico pubblico, lo cercano nelle case e nelle salumerie, e fanno un gran numero di casini. Perché non sono mica detective, gli artisti. E dunque gli mancano gli strumenti del mestiere.


Poi abbiamo passeggiato tutti in giardino e il sole già non era più così alto. Stava venendo giù tirandosi appresso, al guinzaglio, un barlume di malinconia. Accade tutti i pomeriggi, qui a Formello. Carmen, i piedi nell'acqua, pensava senza rammarico al figlio che non ha avuto e che non dispera di avere. C'è dolore pure a bordo piscina, mentre Enzo Paolo mi dice che lui è una brava persona, che non vuole mai male a nessuno e che lui gioisce quando a un altro gli capita una cosa bella. E io ci credo. Sotto il ciuffo biondo da barboncino si annida la verità. E mi ha rivelato un altro desiderio vivo: fare un film, un musical. Carmen dice che solo lui lo può fare bene. Lo ama, come il primo giorno che l'ha visto ballare da dio.

Enzo mi srotola il contenuto del musical. Ha intenzioni serie. Vuole ammonire i ragazzi a Napoli che buttano le carte a terra, e in questo senso prevede l'apparizione di Tullio De Piscopo che gli tira le orecchie e poi si mette a suonare sui cassonetti come se fossero tamburi e giù un primo balletto. Vuole che Carmen interpreti la panettiera, deve cuocere i cornetti nella scollatura e la gioventù si delizia di questi cornetti caldi, sessuali, e qui il "messaggio" è tutto rivolto contro l'anoressia. Questo è il secondo balletto.

C'è un'altra idea, ancora un po' vaga a dir la verità, in cui l'ammonimento è contro la droga. Dice che i giovani possono tirarsi fuori dalle dipendenze se hanno qualcosa di meglio da fare, una passione. Lui in passato ha ottenuto molti risultati proprio insegnando il ballo, tanto da guadagnarsi il soprannome di "Muccioli della danza".

Ha in mente anche un altro balletto con messaggio annesso, ma in questo momento non se lo ricorda.

Ci lasciamo così, su questa impasse.


Io e Tonino ci buttiamo in macchina e guadagniamo il raccordo anulare per tornare a Roma. Si procede a passo d'uomo. Sta tramontando. Io guido. Tonino, a fianco a me, rantola da sveglio, mentre si rivede delle foto un po' sexy che ha fatto a Carmen durante la giornata. Io penso che adesso mi butto dalla macchina. Giusto per fare una cosa come la fa Carmen Russo. Invece, non lo faccio. Trascorriamo una mezz'oretta in silenzio, mentre avanziamo faticosamente lungo il raccordo anulare.

Di colpo, Tonino dice con il tono neutro di un bancario: "Prima, quando tu stavi dentro a chiacchierare con Carmen, Enzo Paolo ha pestato una cacca di cane in giardino".

Non so perché me l'ha raccontata questa cosa. Però, come due bambini scemi, in una progressione ben scandita, cominciamo a ridere come ossessi. Proprio abbiamo le convulsioni. Tonino ride e rantola con fatica disumana. Abbiamo le lacrime agli occhi per le risa.

Lentamente, cala di nuovo un silenzio abissale. Interrotto solo dal rantolo di Tonino che ha fatto da sottofondo a tutta la giornata. Mi volto a guardarlo ancora. Ma questa volta sta dormendo.

È stata una bella giornata. Grazie Carmen, grazie Enzo Paolo.

E la sera riprendo la mia vita da vecchio. Nel silenzio della mia casa, seduto da solo in cucina contro la modesta luce del lampadario, mi mangio delle albicocche che estraggo con esperienza dalla carta di giornale. L'occhio mi cade proprio sull'articolo che sbircio sul foglio spiegazzato al profumo di piombo e albicocca. Si parla delle dieci ragioni per cui vale la pena vivere. Mi appassiono. E leggo questi elenchi, dove prevalgono le cose belle. I figli che dicono papà, i tramonti, la fedeltà, i mari celesti di Tavolara e di Salina, i mariti e le mogli che durano da trent'anni, gli sguardi caldi degli innamorati, i risvegli con l'odore del compagno al proprio fianco, la pizza margherita, i ricordi indelebili della scuola, l'amicizia in purezza.

Insomma, un gran bel repertorio d'esperienza e tenerezza aleggia dentro queste liste della felicità, redatte dalla gente comune. Ed è proprio in quel momento che mi rendo conto che quel repertorio, ahimè, non mi appartiene. Non riesco a condividere con costoro la stessa esperienza. Un brivido di sofferenza mi attraversa. Perché purtroppo vivo nella maledetta, insopportabile convinzione secondo la quale l'animo umano possiede sfaccettature che vanno al di là delle sue buone intenzioni.

È in omaggio a questa convinzione e per rispetto della mia verità che ho deciso di scrivere i miei dieci motivi per cui vale la pena vivere.

Eccoli:

1. L'ebbrezza impagabile di andare a letto esclusivamente con le donne degli altri.

2. Provare a vivere onestamente, non riuscirci, e dire con soddisfazione: però ci ho provato.

3. Tornare a casa infelici e inermi, ma privi di sensi di colpa.

4. Constatare, con un sorriso, che il down è stato inferiore al picco d'eccitazione procurato dalle droghe e dall'alcol.

5. Decapitare, con una sciabola antica, le teste di tutti i genitori ossessionati esclusivamente dall'educazione dei figli.

6. Infilare la testa sotto le coperte dopo aver praticato, a intervalli regolari, la nobile arte dell'aerofagia.

7. Incontrare per strada persone che si conoscono, guardare loro dritti negli occhi, e non salutarli.

8. Dubitare dell'intelligenza delle persone considerate unanimemente intelligenti.

9. Scoprire, ma purtroppo non accade mai, che tutti stanno complottando contro di te.

10. Gli occhi asciutti delle madri.


Ce ne sarebbe anche un undicesimo: gli occhi asciutti dei padri che non abbiamo avuto.

# 2.

## Tonino Paziente

Tutte le amanti di Berlusconi, senza saperlo,
stanno morendo di vecchiaia.

LUIGI AMITRANO, titolare di cartolibreria

Quanto è vero la Madonna c'è poesia, volgarità e tenerezza dappertutto. Finanche nelle case dei sottosegretari. Bisogna credermi. Tutt'è disporsi come al mattino in controluce dentro al letto. Tonnellate di pulviscoli che filtrano, se avete la finestra contro l'alba. Questo ha visto Tony Pagoda quando si è svegliato di colpo, senza motivo, il tre marzo 2011. Tony Pagoda sono io. Anche se era meglio dormire un altro pochino. Ettari di volgarità e tenerezza da raccontare. Questa è la roba moderna. Praterie di tristezza umana, illuminata, per fiordi isolati, dal bacio velenoso del patetico alto, o della compassione terra terra. Poca differenza. Mi sono infilato pantalone bianco e giacca a doppiopetto blu con bottoni d'oro e sono sceso nel mondo. Richiamato da un'incontinenza notoria e fastidiosa, ho puntato ciò che avevo sottomano: il negozio di un amico.

"Quando aleggia lo spettro della costipazione economica, spuntano fuori sempre due cose: lotterie e puttane. E infatti siamo usciti tutti pazzi per il superenalotto e D'Addario varie."

A forza di vendere penne e quaderni, chissà come, Luigi Amitrano ha formulato una sua saggezza. Un'esperienza. Così mi ha parlato mentre Radio Vintage, dentro al negozio senza clienti, mandava *Il cobra non è un serpente*. E, per confermarmi che ora quando parla sa il fatto suo, ha aggiunto: "Che il cobra non è un serpente, bella Donatella, è un'affermazione tutta da dimostrare".

Ho sorriso appena un poco mentre mi accomodavo il pantalone con stile. La conosco la Rettore, ci ha il livore a fior di pelle, perché aveva stabilito che il successo la doveva accarezzare vita natural durante.

In verità, tutti stabiliscono questo assioma, il successo sempre, dovunque e comunque.

Anche queste quattro smandrappate che fanno su e giù tra Milano e Arcore, sotto sotto, la pensano così.

Solo che è stato declinato diversamente il concetto di successo.

La Rettore voleva vincere Sanremo, queste pensano che sia un grande risultato girare in utilitarie sgargianti (omaggio a chilometri zero) sulla tangenziale.

Le lacrime agli occhi, mi fanno venire.

Quanti siamo diventati su questa faccia di cazzo della terra? Cento miliardi? Ma per forza. Altrimenti come è possibile che oramai si trova un pubblico per ogni cosa. Un pubblico pronto ad applaudire e fotografare per qualsiasi troiata che deambula. Anche per un'automobilina con una scosciata da dentro e borse e accessori volgarissimi, con scritte dappertutto. Le lacrime agli occhi, si diceva. È questione di tempo, ma si finirà per sostituire le scritte sulle borse direttamente coi cartellini appesi col prezzo da sopra. Ve lo dico io. Se pensate che la volgarità abbia posto dei limiti a se stessa allora la risposta è: no, non ha posto limiti.

S'immerge, la volgarità, garrula e spensierata, dentro abissi infiniti e sconclusionati.

Mica l'infinito, macché, "sconclusionato" è la parola che sconcerta.

Era finito il mio tempo di permanenza. Sull'uscio, Amitrano mi ha regalato ancora qualcosa.

La tenerezza.

Mi fa:

"Lo sai perché da trent'anni ho una cartolibreria?".

"L'hai ereditata da tuo padre," azzardo io prevedibile.

E lui:

"Da mio padre ho ereditato solo la piorrea e i calci in culo. No, ho aperto una cartolibreria perché mi piacciono gli inizi. Settembre è il mio bunga bunga. Figli e madri arrivano qua, luccicanti, comincia l'avventura della scuola. Scelgono, per la prima volta, penne e pennarelli, e così s'illudono di scegliere il futuro. E poi si sa come va a finire. Perciò, gli inizi, Pagoda, soltanto gli inizi hanno senso. Il resto è roba sconclusionata, cioè senza conclusione".


Dunque, iniziamo.

Il mio amico romano, Tonino Paziente, gay di primissimo ordine, obnubilato da qualunque tipo di mondanità, m'implora di raggiungerlo a Vienna per il ballo delle debuttanti. Che io non so neanche esattamente cosa cazzo sia. Ha due inviti. Tutto gratuito. Già mi ha fatto il biglietto aereo. Era l'ultima cosa al mondo che avrei voluto fare, ma gli ho detto sì. Non lo vedevo da un po'. A Roma mi annoiavo. Chissà perché per un attimo ho pensato che Vienna dovesse essere diversa. Anche con tutta la mia esperienza in fatto di avventure, c'è poco da fare, la cazzata, la perdita di tempo, è sempre in agguato dietro l'angolo. E dunque ho ceduto. A differenza di quello che si potrebbe credere di me, in taxi non sono uno che attacca bottone.

L'imprevedibilità, parliamoci chiaro, è sempre stata la mia specialità.

Verso Fiumicino, all'altezza dell'Hilton, hotel nel quale anni fa mi sono rotolato con una cinica rappresentante di giocattoli per neonati, il tassista mi fa:

"Lo sa lei che c'è questo insetto, il punteruolo rosso, che sta aggredendo tutte le palme di Roma?".

E infatti stavano tirando giù una palma in fronte all'Hilton.

Schiocco la lingua menefreghista come a dire no e il tassista riassapora per la miliardesima volta la frustrazione del silenzio dentro l'abitacolo. Ma dura poco, perché riparte con l'attualità che sta massacrando lentamente il cervello a tutti gli italiani e, alzando la posta, infila:

"Le ha lette le ultime intercettazioni?".

Si cominciava a sentire l'insostenibile, nauseabondo tanfo dell'opinione.

Per non darla io, l'opinione, allora l'ho chiesta a lui:

"Che ne pensa?".

Gli ho dato la gioia, perché non aspettava altro:

"Che un tempo erano tutte sposate e come fantasia pensavano di essere per una volta troie. Ora accade l'esatto contrario".

Ma già non lo sentivo più. Perché riuscivo a pensare esclusivamente al punteruolo rosso che sta compromettendo l'esotismo della bellezza. Costringe a far fuori le palme. Un altro delitto quotidiano.

Comunque.


Approdo a Vienna, vestito come uno che aspetta lo yacht sul pontile di Portofino e invece c'è scritto, come benvenuto asburgico: - 4 °C. Mi compro un cappotto stesso dentro l'aeroporto. Dal taxi chiamo Tonino che mi aspetta in hotel.

Lui non dice pronto, ma direttamente:

"Fa freddo".

"Non cominciare a fare l'arguto," ribatto io.

Non lo vedevo da tre mesi. Mi appare nella hall con quaranta chili in più e una barba da frate di montagna. Ha portato solo il frac e nient'altro. Neanche lo spazzolino o una giacca a vento.

Per questo mi dice per la seconda volta, atonale:

"Fa freddo".

Sono le tre del pomeriggio e lo invito a mangiare fuori. Vaghiamo per una Vienna tetra come un cantautore ligure. Mi propone un ristorante cinese. È fissato coi noodles. Li desidera come il sesso. Io gli dico:

"Stai fuori! Li fai mangiare a tua sorella i noodles".

Il freddo è insostenibile. Finiamo dentro un ristorante per turisti dove siamo gli unici clienti. Un finto castello e i camerieri in abiti medievali. La tristezza, mista a un'inedita forma di sgomento, si sta impadronendo di noi. Ci portano la birra Villacher dentro a finti boccali del Quattrocento. Inospitali come una sparatoria. Per bere senza far cadere la birra è richiesta una concentrazione da centometristi al momento dello start. Mangiamo un pollo originale del Medioevo. Mi accendo una Rothman's di nascosto sotto al tavolo, tanto non c'è un'anima e il cameriere si è dato, per istinto di sopravvivenza, a una giusta latitanza.

Ed esordisco:

"Che si racconta, Tonino?".

Paziente distoglie lo sguardo da una finta ghigliottina in vetroresina e dice:

"La prima volta che mi sono innamorato era di un ragazzo che aveva delle bellissime pantofole. Forse è per questo che possiedo novantacinque paia di pantofole".

Dovevo restare a casa, questo è evidente.

Comunque, mi faccio psichiatra e gli dico:

"Non è solo per questo che hai tutte 'ste pantofole. È che hai bisogno di famiglia".

Fa spallucce. L'argomento è troppo grosso per lui. E troppo scricchiolante.

Taglia corto:

"Comunque, ora le pantofole le sto vendendo su Internet a un feticista che vuole pagarle novecento euro".

"È un business di una certa levatura," gli rispondo ridanciano.

E lui, mesto e serio, dentro il buio del ristorante, aggiunge luttuoso:

"C'è una cosa importante che ti devo dire, Tony. Io non sono mai riuscito ad ascoltare una tua canzone fino alla fine".

Lo ha detto con autentico rammarico. Rifletto. Lui mi guarda. Rifletto ancora e faccio l'unica cosa giusta da fare. Gli do uno schiaffo molto forte. Non è per niente sorpreso dal mio gesto. Lo aveva messo in conto. Lacrime sporche gli fanno girotondo intorno agli occhi e sussurra flebile:

"Scusa".

E poi aggiunge, in segno di redenzione:

"Ti offro una fetta di Sacher torte nel posto dove l'hanno inventata. Però ci andiamo in taxi e pago io".

Annuisco senza dire una parola. Sono ancora frastornato dalla notizia ferale che mi ha dato poco prima. Ci vuole una bella ignoranza a non sentire una mia canzone tutta. Ma pare che sia la modernità. Si cattura a brandelli. Di fretta. Un pezzo di film, la strofa di una canzoncina, poche righe di un articolo, niente per intero, le frasi tutte sconnesse, incomplete, tutti pronti a ciò che viene dopo, nella speranza che quel dopo sia più rilevante, invece è rilevante solo ciò che viene dopo ancora e così via, fino a essere depositati lentamente dentro una bara.

L'unico momento in cui le cose prendono vita con il ritmo giusto.


Naturalmente, il cameriere del caffè Sacher ritiene di essere fondamentale quanto l'amministratore delegato di una multinazionale.

Alla richiesta di un tavolo sbuffa e si produce in un cenno fatalista, come se si dovesse compiere il destino per avere due sedie. Invece, semplicemente, due cinquantenni imbottite di spumantini già alle sedici e trenta barcollano verso l'uscita come gozzi col mare agitato e ci danno la possibilità di assaggiare questa cazzo di Sacher torte.

Tonino, afflitto dall'ingordigia, si prende pure la cioccolata calda con la panna. Una stalattite di colesterolo, mi sta diventando con gli anni.

Tutt'intorno, una borghesia conservatrice ai limiti dell'imbalsamazione ha scelto il silenzio totale come forma d'occupazione del tempo libero. Comunicano per sussurri che sembrano soffi. Tutti, nessuno escluso, mangiano la Sacher torte. E già sbirciano me e Tonino come due note stonatissime. Io vestito estivo come il proprietario di un trentadue metri e Tonino con una felpa rosa con dei coniglietti come motivo di richiamo. Come se il rosa non bastasse a catturare gli sguardi.

Ci stiamo rompendo le palle a discreti livelli.

Tonino riflette e dice:

"Dopo, per ammazzare il tempo, potremmo andare a vedere i preparativi fuori al teatro per il ballo". Un'idea del cazzo alla quale neanche rispondo. Fuori ci sono gli orsi travestiti da viennesi, tale è il freddo. Figurati se mi avventuro col pantalone di cotone bianco.

Cala di nuovo il silenzio.

Finché Tonino non compie il gesto.

Il gesto piccolo, impreciso e sbilenco che me lo fa ammirare senza più riserve.

Questo: tira fuori un antico ventaglio nero, lo apre e prende a sventolarsi svogliato, come se ci fossero quaranta gradi all'ombra, mentre, con la nonchalance di una poetessa di valore, guarda distrattamente il passeggio all'esterno. Sembriamo una coppia di fidanzati a dir poco stravaganti.

Io lo guardo a bocca aperta. Lui scorge il mio stupore e, senza scomporsi, continuando ad agitare il ventaglio, dice:

"Fa molto Vienna".

Questo, è il genio.

Ci guardano tutti. Che se ne andassero 'affanculo. Quando s'innalzano certe maestosità, non c'è spazio per il giudizio del prossimo. Questo dico io. Chi tocca l'assoluto, riduce sempre l'umanità a un mucchio di briciole di pane.


C'è l'affluenza di un'importante partita di calcio. E invece è il teatro dell'opera di Vienna.

Invaso, in ogni interstizio, da uomini in frac e donne che hanno rotto pure i salvadanai dei figli per permettersi vestiti che sembrano arazzi e gioielli a prestiti da usurai.

Le debuttanti fanno finta di ballare ma, se non hai un palchetto che costa diciottomila euro, non puoi vederle se non attraverso un televisore del bar. Così abbiamo fatto io, Tonino e altri duemila viennesi stremati dal girovagare in lungo e in largo per saloni e scale pretenziose.

"Ma se dovevamo vederla in televisione 'sta roba, allora potevamo buttarci sul letto dell'albergo," dico io.

E Tonino:

"Non dire sciocchezze".

Dove starebbe la sciocchezza, non l'ho capito.

Rotti il cazzo di sostare davanti alla tv con calici di champagne da trenta euro ciascuno, ci mettiamo a girovagare. E subito affiorano le consuete controindicazioni della serata mondana: tutti si fanno foto dappertutto, un'ossessione da ebeti. Davanti ai divanetti, agli sponsor, agli specchi. Un cumulo immane di ricordi che nessuno ricorderà. Ma cosa gli ha preso alla gente con questa storia delle macchine fotografiche? Ognuno ne possiede minimo due, come i pistoleri nei film western.

E poi le donne che, dopo due ore a gironzolare, fanno morire i loro sorrisi sui talloni tumefatti dai tacchi, le gambe in fin di vita.

Una contessa seduta sfinita vicino a me su un divanetto, senza indugio, spudorata, estrae dalla scarpa una suola di silicone e se la infila nella borsetta.

Le ragazze debuttano, a suon di milioni, solo per vedere dal vivo non il futuro radioso, ma la noia illimitata travestita da scintillante.


E, apparentemente, scintilla, in un palco invaso dai fotografi, questa tizia che si chiama Ruby, viene dal Marocco, e che tiene banco di questi tempi. È assalita prevalentemente da un riccone locale che se l'abbraccia di continuo come l'alga con lo scoglio.

Tonino, che è fornito della pericolosa patologia di dover essere sempre al centro del gossip del momento, la conosce e la saluta con la manina, cadendo in un deliquio estatico che si meriterebbe una coltellata. Impossibile avvicinarsi a causa del muro di fotoreporter. Ma io non ci ho un cazzo da fare e mi metto a osservarla. Ruby se ne sta lì a bere lo champagne, ogni tanto alza le mani e finge per pochi secondi di ballare e in quei frangenti precipitano tonnellate di flash. Qualcuno le fa domande e lei dice che lo champagne è buono e l'Italia no. Meglio Vienna, che sono tutti eleganti. Si dimentica di aggiungere che lei è la cosa più lontana dall'eleganza da molti anni a questa parte. Si sta annoiando e dissimula male, ma dissimula, perché le hanno dato, pare, quarantamila euro per stare nel palco a bere champagne, alzare le mani a intervalli regolari di due minuti e a farsi abbracciare con malcelata voracità da un miliardario che puzza di collutorio per la dentiera.

Questo spettacolo, uguale a se stesso in una sorta di eterno ritorno, mi fa venire su un senso di inadeguatezza. E dire che ne ho viste di peggiori, ma questa roba, non so perché, comincia a farmi proprio male. È in quel preciso momento che mi sono tornate in mente le parole di Amitrano, che diceva che le donne di Berlusconi, senza saperlo, stanno morendo di vecchiaia. L'avevo presa sottogamba quell'affermazione, ma ecco che di colpo acquista una sua dimensione, nitida e precisa, sotto forma di questa ragazzetta che, lo intuisco ma non lo capisco e non so perché, dovrebbe stare altrove, dovunque, ma non in quel cazzo di palchetto. Mi viene proprio una fitta di dolore nel mio corpo vecchio come quello del miliardario viennese che la cinge e, ignorando deliberatamente Tonino che se ne sta lì a contemplare Ruby come se fosse una santa, ecco che, senza indugio, me ne vado. Ci ho fame e sono vecchio mentre guadagno l'uscita del teatro lasciandomi colpire alle ginocchia da un freddo raro e malvagio.

La mia fortuna è che trovo un taxi.

Respiro, con la stessa soddisfazione di quando si esce dall'apnea dopo che hai recuperato l'ancora incagliata. Gli dico il nome dell'albergo, ma lungo il tragitto vedo un chiosco che vende gli hot dog e chiedo di lasciarmi lì immantinente. Mi ritrovo in frac a mangiare un panino, circondato da sei ragazzini ubriachi che cazzeggiano. Sparano puttanate in tedesco. Non ci capisco niente. Ma, naturalmente, si può percepire il ritmo e l'atmosfera delle cose che dicono. E sapete cosa scopro? Si stanno divertendo. Con niente. Con sei birre da un euro e tre panini che si dividono. Due si baciano in bocca perché si vogliono bene per la prima volta. Un altro li fa divertire facendo l'imitazione di chissà chi. Un altro sopprime un rutto. Esotiche bellezze. Ridono all'improvviso, semplicemente guardandosi gli uni con gli altri. Non valgono ancora un cazzo di niente eppure sono un concentrato di dignità inaudita, solenne, elegante, oggettiva.

Sono la giovinezza, così come deve essere.

Perdere il tempo, oziare, per scoprire a piccoli passi tutto quello che la vita ha da offrire: l'amicizia, il sesso, il dolore, l'insicurezza, la voragine, l'innamoramento, il risentimento, l'invidia di quello che sta da solo per quei due che si baciano. Li guardo senza remore, con insistenza, e formulo un pensiero molto semplice: ecco dove dovrebbe stare adesso quella Ruby. Dovrebbe stare qui in mezzo a questi ragazzi. E tutte quelle altre che fanno su e giù con Arcore, se solo sapessero cosa si stanno perdendo a non stare qui con questi sei tedeschi davanti a un chiosco del cazzo.

Invece, s'illudono di essere scaltre facendo cose da vecchie, cose che la vita ti condannerà a fare dopo: shopping à gogo e fidanzati cialtroni, genitori avvoltoi, relazioni strumentali e fratelli ruffiani.

Vorrei dire loro: c'è tempo per queste stronzate, per ora andate a sparare puttanate fino alle tre di notte con i ragazzi della vostra età, fottendovene di tutto il resto. È qui, davanti a tutti i chioschi del cazzo di tutte le città, che si annida la bellezza, mica a bordo delle utilitarie omaggio e nelle finte discoteche delle case private dei ricconi che smanacciano a destra e a manca.

Ho terminato il panino e mi sono avviato verso l'albergo. Un po' risollevato al pensiero che ciondolano in giro ancora ragazzi come quei sei tedeschi ubriachi. Infreddolito, procedevo lungo il marciapiede, avevo sonno, mi sono acceso una bella sigaretta, per un attimo ho fatto finta di avere diciotto anni. Ci ho creduto veramente. Sentivo finanche l'acne sulle guance e l'odore opulento dell'avvenire. Ho inspirato. Stavo godendo della mia finzione, ma poi, all'improvviso, una scampanellata di realtà, si è rotto l'incantesimo, perché mi sono ricordato che in giro c'è un insetto, un punteruolo, che sta compromettendo l'esotismo della bellezza.

# 3.

## Il mago Silvan

Per far scomparire le cose, bisogna conoscere le persone.

SPARTACHINO, mago romano d'inizio secolo

Alla fine, quando tutti moriranno, Silvan vivrà.

È immortale, come lo scoglio.

Se lo fissi attentamente negli occhi, nei capelli bloccati, nel fisico asciutto, dici: ha trent'anni.

Lo guardi un attimo dopo e dici: ne ha centotrenta. Ma lui è sempre uguale. E sorride. Felice e sereno come non ho mai veduto nessuno in vita mia. Per questo lo frequento. Perché voglio essere come lui. Dico sul serio.

Passeggiamo affiancati per Villa Pamphili. Portiamo cappellini americani e occhiali da sole affinché nessuno ci riconosca e rompa i coglioni. Sembriamo due maniaci sessuali.

Procediamo silenziosi, nella brezza della primavera.

E io, come il più geloso dei fidanzati, glielo ripeto incazzato per la duecentesima volta:

"Me lo devi dire".

Lui mi sorride e dice:

"Non te lo posso dire, è un segreto".

È un muro, Aldo Savoldello, il vero nome di uno dei più grandi maghi del mondo. Ha dita da pianista, Aldo, tornite e lunghe come rami, che muove in modo teatrale e sinuoso. Prestidigita anche l'aria. La fa scomparire, se vuole, lasciandoti in apnea. Stacca una foglia da un ramo, scrolla una mano e in un attimo la foglia non c'è più. È il suo modo di vincere l'imbarazzo del nostro silenzio durante la passeggiata. C'è chi si mangia le unghie, chi ride, chi si accende una sigaretta e chi parla a ripetizione. Lui, quando regna un momento d'imbarazzo, prende una cosa qualsiasi e la fa scomparire.

Poi mi dice:

"Tony, io parto da un'immagine. In sogno vedo un pianoforte che vola, il giorno dopo vado in laboratorio e sto due anni a studiare come far volare un pianoforte. Comincio in scala con dei modellini e poi arrivo al risultato finale".

E, con questa affermazione, il mago Silvan ha raccontato ai miliardi di stronzi che sbraitano in lungo e in largo che cos'è, di preciso, l'arte.

Ma, dal momento che possiede un intelletto unico e pauroso, aggiunge:

"L'arte, ovvero la magia, è dimenticarsi del razionale. E io, il razionale, te lo faccio dimenticare". Roba da scolpire nelle pietre.

Geloso della sua intelligenza, insisto come un amante all'ultimo stadio:

"Aldo, non ce la faccio più. Tu me lo devi dire, sto impazzendo".

Sorride, apre la mano che contiene cinque palline che ha estratto da chissà dove, richiude la mano, le palline non ci sono più e mi dice candido come un fanciullo:

"Non te lo posso dire, è un segreto".


Il mago Silvan è alto un metro e novanta e ha un peso corporeo che oscilla tra 63 e 68 kg da un numero indefinito di anni. Mangia qualsiasi cosa, ha il metabolismo di una pantera, e ascolta musica classica. Ha due figli, una moglie inglese e una voce da attore teatrale di solida tradizione. Una settimana fa ho assistito a teatro a un suo spettacolo di magia e da allora non dormo la notte, perché voglio sapere.

Il silenzio della nostra passeggiata è interrotto da una telefonata di Tonino Paziente.

Mi dice:

"Dove sei?".

Rispondo:

"A Villa Pamphili, faccio due passi con Silvan. Avevo venticinque euro, ma me li ha fatti scomparire, spero che li faccia riapparire prima che vado via".

Tonino m'ignora e sentenzia categorico:

"Ti raggiungo subito. Silvan è il mio idolo. Non porto soldi".

Non ho il tempo di dirgli no che Tonino ha già chiuso, probabilmente è già a bordo di un taxi e starà dicendo al conducente di correre.

Silvan mi suscita curiosità stravaganti. Gli chiedo qual è l'animale più difficile da gestire in termini di magia e lui non risponde mai in maniera diretta, trova la poesia dappertutto e la conversazione appare un evento indimenticabile.

Infatti dice:

"La colomba è un animale docile".

Il suo eroismo, per me, non è tanto che le fa scomparire, ma che le tocca, le colombe. A me gli uccelli fanno schifo. A lui non fa schifo nulla. Se una cosa gli dà fastidio, semplicemente, la dissolve agitando i polpastrelli.

Estrae dalla tasca una conchiglia.

Solo lui, in tutto il mondo, ha in tasca un mazzo di carte, delle palline, una colomba viva e una conchiglia.

Mi mostra la conchiglia come per ipnotizzarmi e dice tre parole che mi scaricano addosso una nostalgia lancinante come una martellata. Le tre parole sono: Sim Sala Bim.

Poi chiosa:

"Mettiti le mani in tasca".

Eseguo. Estraggo dalla mia tasca la conchiglia.

Mi sorride di nuovo e stabilisce:

"Conservala, ti porterà fortuna".

Stringo forte la conchiglia, do un calcio a una panchina in ghisa e, rabbioso, gli intimo:

"Tu me lo devi dire".

Lui, pacifico:

"Ma ancora stai a pensare a quella cosa?".

"Sì, cazzarola, mi devi dire come fai a far sparire la ragazza nella scatola e a farla riapparire un secondo dopo in fondo alla sala."

"Rifletti," mi concede lui.

Io, lesto:

"Come scompare nella scatola non lo so, ma secondo me quella che appare in fondo alla sala è la sua gemella".

Mi guarda un istante, soppesa, valuta, si fa attore consumato.

Io pendo dalle sue labbra e lui mi spedisce di nuovo al manicomio:

"No, non c'è una gemella".

Voglio morire. Ma potrebbe aver mentito. Dunque mi riprometto di procurarmi una pistola e di minacciarlo fino a che non mi svela il trucco della ragazza. (Secondo me è una gemella!)


Sopraggiunge in fondo al viale Tonino Paziente, trafelato come dopo uno scippo, sudato come una signora fresca di menopausa in preda alle vampate, ci riconosce, sorride con i suoi undici denti marroni causa bidoni di sigarette accumulati negli anni e, quando si ritrova al cospetto di Silvan, gli si butta letteralmente ai piedi come di fronte a una santa.

Io mi guardo intorno perché ho l'angoscia degli sguardi degli estranei.

Tonino, sopraffatto da lacrime di commozione, gli dice:

"Silvan, lei è Dio".

E lui, senza sottostimare l'eventualità, risponde:
"Dio non imbroglia, io sì".
Alfabetizzati, qui stiamo parlando di filosofia a determinati livelli.


La casa di Silvan è un luogo oscuro e per certi versi misterioso. Tutto è rimasto fermo a tenebrose lampade verde acido e tetre boiserie degli anni settanta. Per questo mi piace. L'unico dato che allontana dal mistero, che si fa realtà spicciola è che la casa è situata di fronte al ristorante Lo Scarpone. Ma il contesto, l'Aurelia Antica, è segreto come la magia di quest'uomo, che è magico anche come individuo. E, nella sua incredibile professione, estremamente solo. La solitudine è la sua unica compagna di lavoro. A quale collega telefoni quando non riesci a trovare il trucco per far scomparire un elefante davanti al Colosseo? Anche quello ha fatto, questo genio, che mi guarda dal divano di pelle e dice col candore del fanciullino che nella vita ha sempre e unicamente voluto strabiliare il prossimo:

"Nulla è impossibile e il paranormale non esiste. Tutto possiede il suo trucco. Il mago Rol, tanto amato dai potenti e da Fellini, quando gli chiedevo di incontrarci e di farmi vedere i suoi poteri, trovava mille scuse. Lo sapeva fin troppo bene che avrei smascherato tutti i suoi trucchi. Così come ho smascherato fantasmi, guaritori, pranoterapeuti, medium e il mago di Napoli che irrompeva nei ristoranti e indovinava tutto di tutti mentre in realtà aveva un complice che stava dentro al ristorante da due ore. Il mago di Napoli che diceva 'dottò, lei ha mangiato gli gnocchi con la mozzarella'. Certo, glielo diceva il cameriere un minuto prima, e poi gli allungava due lire".

Quando la magia si nutriva anche della povertà. Sì, è così, la gente vuole essere fatta fessa. Perché vuole misurare il suo quoziente e perché sa che è così comodo scoprire che la propria intelligenza è inferiore a quella degli altri. È una conoscenza che ti solleva dalla responsabilità, questa bastarda che ci viene sempre dietro come un cane fedelissimo e indistruttibile.

Mentre Silvan, nello sbugiardare truffaldini e farabutti, non difende solo la sua categoria, ma smaschera e abbatte la bruttezza, lui che è figlio della bellezza.

Figlio di Venezia e di un padre che nel 1926 vinse un concorso come sosia di Rodolfo Valentino. Bisogna farne scomparire di roba per affrancarsi da un padre così affascinante, che portò Silvan piccolo dallo psichiatra Cappelletti, perché non capiva che cos'era quest'ossessione del bambino per la magia. Si è capita dopo. La fissazione per la magia è, innanzitutto, la passione per il proprio carisma.


Certo, non tutto riesce.

Una volta, col Sistina pieno zeppo, sbagliò nel classico trucco della donna tagliata a pezzi. Sul palco con lui c'era la nipote di Jean Harlow, che fu colpita da una lamiera, s'impressionò e svenne. Fu il panico. Ora Silvan non si esibisce più al Sistina e non conduce più programmi in Rai in prima serata come meriterebbe. Forse erano tempi in cui gli italiani non avevano perso completamente la loro innocenza e, di fronte all'illusionismo, rimanevano estasiati come ora purtroppo rimangono estasiati solo di fronte ai naufraghi sull'isola senza cibo che vanno avanti e indietro come dei cretini.

La lenta agonia di questo paese passa anche attraverso la disaffezione verso la purezza dell'arte magica, dell'illusionismo. Stanno tutti lì a tramare triangolazioni finanziarie con la Svizzera e le Bermuda, mica hanno tempo con le colombe bianche che escono da sotto i cappelli. L'unico trucco che incute rispetto e interesse è il trucco fiscale. Che poi si chiamerebbe truffa, ma tutti fanno finta di niente.

Allo spettacolo teatrale eravamo io e mille bambini. Tutti eccitatissimi. Silvan mi dice però che non è così, che i grandi continuano a venire ai suoi spettacoli. Sarà vero, ma nessuno mi toglie dalla testa che qualcosa si è perso. Quarant'anni fa compravamo le scatole da giuoco del piccolo mago coi segreti di Silvan e ci trascorrevamo serate commosse. C'erano i quaderni Pigna con la foto di Silvan e finanche un francobollo con lui da sopra. Di che cosa stiamo parlando? Siamo diventati tutti più smaliziati e, dunque, più stupidi. E presuntuosi. Liquidiamo la magia di Silvan con un sorrisetto di superiorità quando ci fa i giuochi con le carte. Ma mica lo abbiamo capito il trucco, mica c'importa granché di sapere che quest'uomo si esercita tre ore al giorno tutti i giorni da anni per manipolare gli oggetti con quell'armonia, quella precisione e quella abilità. Regalandoci un'arte e una bellezza. Come se fosse poca cosa. E quel sorrisetto di superiorità ci rende così miseri, ma così miseri. Si pensa sempre che c'è un "altrove" più rilevante e invece quello non c'è. Abbiamo solo abdicato alla capacità di provare stupore. Se ne avessimo coscienza, vivremmo molto meglio. Fortunatamente, Silvan è sordo a tutta la decadenza circostante. Lui va avanti indefesso e, in questo senso, avrà la mia stima e il mio rispetto per tutta la vita. Lui si rinchiude, elegante come un diplomatico, dalla mattina alla sera in una cantina della sua casa, in una stanzetta illuminata da una lampadina nuda, circondata da armadi anni settanta trafugati dalle stanze dei figli quando erano piccoli, dove c'è letteralmente di tutto: milioni di carte da giuoco, uova, cappelli, bambole, tazzine, bicchieri, sigarette vere e finte, orologi truccati, anelli, bacchette da mago, libri di teosofia, fiori, audiocassette che spaziano da Bach al tango, tutta musica che gli fa compagnia mentre elabora i suoi giochi e i suoi trucchi come il più intelligente degli artigiani e tanto si ferma quando la moglie gli urla che è pronta la cena. Sopra la sua testa, il mondo sta morendo, ma lui se ne fotte, ha capito finalmente come far volare un pia-

noforte e crede che quando porterà questa novità dinanzi al
mondo, esso rinsavirà.


Mi dice:
"Il mago non ha età".
Per forza. Bisogna essere bambini a tutti i costi per fare
della magia la propria vita. Bisogna essere adulti scaltri e col-
ti per elaborare i raffinatissimi trucchi che mi mostra di continuo. Ti abbaglia agitandoti una mano davanti agli occhi e tu
ti concentri sull'altra mano per scovare il trucco e lui invece
il trucco lo ha messo in opera ancora prima.
La magia è l'arte del "prima".
La maggior parte dei trucchi non te li fa sotto gli occhi, te
li fa quando tu stavi ancora a casa. Questo è il segreto. È così che ha incantato Agnelli, Onassis, Grace Kelly, e tutti quelli che contavano anni fa sulla terra. Ha indovinato quanti soldi aveva in tasca Ronald Reagan e pare che questi sia rimasto
allibito per un bel po'. È un gioco che ha fatto anche a me e
mi è parso uno dei meno felici perché penso di aver capito il
trucco. Ma su Reagan, lo ricorderete, si covava tutti dei seri
dubbi.
Ad ogni modo, abbiamo abbandonato la sua cantina laboratorio e, con Tonino, abbiamo scalato un'angusta scala a
chiocciola che ci riportava al livello del mare. Scala costella-
ta da copertine di giornali incorniciate e appese. Ce n'era una
con Silvan che faceva levitare la Parisi a vent'anni e Tonino
allora si è fermato, ha guardato e si è commosso. Con un filo
di voce, come se parlasse direttamente con Heather, ha sus-
surrato:
"Sono diventato gay grazie a te".
"Quando si dice che la televisione fa danni," ho detto io.
Tonino mi ha sorriso lieve, ma non staccava gli occhi pieni di lacrime da se stesso.

La battuta era infelice, i dolori dell'anima invalicabili, lo spettro della sera alle porte e Silvan troppo vicino ai nostri cuori per essere ancora una novità.

Sulla porta di casa ci ho provato ancora una volta:

"Aldo, ti prego, come scompare e riappare la ragazza? Svelamelo".

A quel punto lui stava anche per dirmelo, ma poi si è fermato, perché ha trovato qualcosa di meglio, questo:

"Sapessi quanto è banale e deludente la verità. Resta col mistero. Questo ti farà ricordare di me. E io sono un uomo che va ricordato".

Poi si è rivolto a Tonino ed è come se si fosse accorto davvero della sua presenza solo in quell'istante.

Gli ha chiesto:

"Tonino, tu hai figli?".

Tonino ha sorriso come un padre e ha concluso:

"Silvan, ci vorrebbe una magia".


Tornando a casa, ho avuto un momento d'imbarazzo al momento di pagare la pizza d'asporto che mi sarei mangiato nel cartone davanti alla televisione, perché mi sono ricordato che non avevo soldi. Ho aperto per abitudine il portafogli, ma non era così, all'interno erano riapparsi i miei venticinque euro e quella conchiglia, che non mi ha portato fortuna.

Vi auguro una vita magica, ma la magia è l'arte dell'illusione.

# 4.

## Fabietto

Uno fa l'artista con quel che trova.
Lui era per la dentiera che aveva provato un
grande imbarazzo estetico tutta la vita.

LOUIS-FERDINAND CÉLINE, *Viaggio al termine della notte*

Oscilla di pochissimo.

Lo sguardo rivolto al di là dell'oblò dell'aereo privato.

Perso nel buio dell'Asia.

Sembra che stia per addormentarsi.

Ma non si addormenta.

Siedo vicino a lui.

Sul grembo ha il copione di una fiction in quattordici puntate dal titolo *Le ragazze d'Italia*.

Sono previsti seicentoquattordici ruoli da coprotagoniste.

Ma lui ha detto che sono pochi.

Molte rimarranno deluse per l'esclusione.

Poi si volta di scatto verso di me, l'occhio si libera da una patina di nebbia brianzola, s'illumina come in preda a un satanismo e sentenzia:

"La sinistra non mi ha capito. Non mi capirà mai. Questo mi ha consentito di crescere. E di diventare imbattibile".

Le palpebre ricadono di nuovo. Riprende a guardare fuori. Non dorme. Qualcosa luccica in quel che resta dei suoi occhi. Si è commosso.

Rivolto all'Asia, aggiunge come in trance:

"La signora Moser, un'amica di mia madre, aveva un seno generoso. Quando la salutavo col bacetto, in società, prendeva furtivamente la mia mano e la stringeva al suo petto. In tutta la mia vita sono stato felice solo in quegli istanti in cui salutavo la signora Moser. Avevo nove anni. Avveniva tutto in un attimo, ma l'unico che se ne accorgeva era mio padre".

Ha gli occhi pieni di lacrime, adesso, Fabietto. Uno dei politici più potenti del nostro paese.

Io spesso lo accompagno nei suoi viaggi. Lo allieto con qualche bella canzone napoletana. In cambio, mi ricopre di soldi e confidenze. Fabietto è in crisi. Io lo so. È giunto a uno di quegli scomodissimi momenti dell'esistenza in cui ti metti a fare i bilanci. E in quei momenti ti viene addosso giù tutto. L'intera biografia. Ma soprattutto una cosa: l'infanzia, che trascina con sé sempre il suo accompagnatore: tuo padre.

Quest'è, alfabetizzati! Stringi, stringi, quest'è! Nessuno ha mai avuto intenzione di congedarsi dal bambino. E, dunque, dal padre.

Come se non bastassero la crisi e il bilancio, Fabietto ha paura. Teme il divorzio dalla moglie che ama ancora, teme che tutte le malefatte escano allo scoperto, teme la vendetta delle troie, ma soprattutto teme una parola che non si addice al bambino: la responsabilità.

Ed è una questione d'immane responsabilità, al di sopra delle sue possibilità, quella che Fabietto sta per andare ad affrontare: incontrare e convincere della necessità del disarmo nucleare nientepopodimeno che Kim Jong-il, il grande dittatore comunista della Corea del Nord.

E ha anche un altro tarletto che lo sta logorando, quello di temere di sbagliare il nome del dittatore al momento del fatidico incontro. "Kim Jong-il" proprio non gli entra in testa. Se lo ripete mentalmente da settimane questo nome e, puntualmente, lo sbaglia.

L'aereo si abbassa di quota. Fabietto si asciuga le lacrime. Finisce di bere un Crodino. Mi indica un buco nero lì sul pianeta terra e dice:

"Ecco Pyongyang, la capitale".

"Ma è tutto buio," obietto.

Lui ritrova un sorriso:

"Energia elettrica razionata. La notte niente luce. È il comunismo, mio caro".

Non è esattamente quello che aveva in mente Marx, ma evito di dirglielo perché, ficchiamocelo bene in testa, non bisogna mai infierire contro l'uomo avvolto nella tragedia.

Da qualche parte, sta per arrivare un'alba umida. L'atterraggio non è lontano. Il consigliere anziano di Fabietto si srotola come un tappeto mellifluo al nostro fianco.

"Ripassiamo i fondamentali," dice a Fabietto che sbuffa incazzato.

Ma il consigliere, implacabile:

"La Corea del Nord ha 5000 tonnellate di gas nervino, gas vescicanti, armi biologiche con virus e batteri dell'antrace, vaiolo, peste e colera. Ha 13 kg di plutonio per testate nucleari, l'equivalente di tre bombe atomiche. L'ultimo incontro con un politico dell'Occidente Kim Jong-il l'ha avuto nel 2000 con Madeleine Albright".

Fabietto lo interrompe:

"No, ha visto anche l'amico Putin".

Il consigliere, paziente:

"Putin non è considerato occidentale".

Fabietto:

"Colpito e affondato".

Il consigliere:

"Non scherzare, Fabietto, questa è un'occasione storica. Se tu lo incontri e lo convinci della necessità del disarmo, qui ci scappa il Nobel per la pace".

Fabietto:

"Avrebbero dovuto darmelo già da tempo per la pazienza che ho coi figli dei miei alleati".

Io rido, il consigliere non ride. Lo guarda serio, con una pazienza infinita.

Fabietto lo fissa e dice sincero:

"Perché sei così buono con me?".

E quello, con un tono neutro e il decoro dei sarti:

"Perché io conosco il significato della parola responsabilità".

Fabietto riprende a guardare fuori. Assorto, i pensieri lo assalgono nuovamente.

Il consigliere anziano lo sa e prima di dileguarsi fa un'ultima raccomandazione:

"Ti prego Fabietto, niente battute. I comunisti non hanno senso dell'umorismo".

Fabietto annuisce, ma già non lo sente più.

Sta pensando a tanti anni fa, a quando era ancora un uomo attraversato dal candore, l'uomo che regalò alla sua fidanzata, che aveva sempre freddo, delle pantofole di lana a forma di cagnolini. Quella stessa donna, oggi, ha buttato nella spazzatura quel regalo e pretende da lui, come risarcimento per il divorzio, 403 milioni di euro. Questa è la storia dei matrimoni, tutte le tenerezze si trasfigurano in una fattura abnorme che il commercialista non può scaricare.

Atterrati in una coltre di grigiore opprimente, stereotipo consueto dei paesi comunisti, Fabietto è atteso da una delegazione di militari. Scodella un sorriso da croupier e stringe la mano a quattordici generali che si chiamano tutti Kim, impossibili da distinguere l'uno dall'altro. Sembrano quattordici gemelli. Resiste, sì resiste. È arrivato a stringere la mano all'ottavo generale quando non resiste più. Ecco qua, deve fare la battuta, altrimenti muore di noia e allora sentenzia al capo delle forze navali: "Lei assomiglia a Gattuso".

La traduttrice traduce. Nessuno ride. Il risultato è che il più importante dei generali si avvicina a Fabietto e gli dice che Kim Jong-il non potrà incontrarlo prima di una settimana e comunque non è detto neanche che lo incontri.

"Nel frattempo alloggerete in un buon albergo," aggiunge.

E poi chiosa:

"Non il migliore, ma uno buono".

Questa battuta, invece, fa ridere tutti i generali coreani.

Fabietto s'incazza all'istante con la traduttrice e dice:

"Ma stiamo scherzando? Venerdì devo essere in Sardegna, mi viene un paesaggista di giardini da Edimburgo, glielo traduca al generale".

Il generale riceve la traduzione e non si degna neanche di rispondere.

Io, Fabietto e gli altri veniamo allocati nelle auto di Stato. Fabietto è una belva, sebbene sfoderi ancora uno stentato sorriso diplomatico.

Più tardi, mentre attraversiamo un meraviglioso ponte di Pyongyang, uguale a quello che in Italia si vorrebbe sullo Stretto di Messina, il consigliere anziano dice sconsolato:

"Te l'avevo detto di non fare battute".

Fabietto non batte ciglio:

"La battuta era buona e non era volgare. Sono sicuro che è stata colpa della traduttrice. Quella neanche sa chi è Gattuso. Vive qui da vent'anni e qua la gente non ha contatti con l'esterno. Però è una bella donna. Ricorda un poco mia moglie".

Cala il silenzio. Queste parole lasciano presagire il peggio del peggio.

"Moriremo tutti," penso io.

Qua non si scherza con quelli che si chiamano Kim, che poi sono la maggioranza.


Giunti in una piazza deserta, scendiamo dalle macchine e la traduttrice, per tranquillizzarci, dice: "Può essere che siete stati sequestrati e non lo sapete. Come accadde alla grande attrice sud-coreana Choi Eun-Hee e al marito. Vennero tenuti qui per anni. Nel lusso, ma sotto sequestro".

Sudo, mi tremano le gambe, per reazione libertaria chiudo gli occhi e mi si materializza un desiderio semplice: la carbonara, e invece c'introducono in un ristorante sobrio e stilizzato, occupato da un parato che ha il compito di logorare la cervicale, dove ci obbligano a degustare il loro piatto tradizionale più ambito: la boshintang, vale a dire la zuppa di cane.

Fabietto, chissà perché, ha ritrovato il buonumore e chiede, sorridente e curioso, alla cameriera:

"Che razza di cane avete utilizzato?".

Non riceve risposta.

Poi guarda birbante la traduttrice e allora capiamo tutti che sta cercando di entrare nelle grazie di quella bella donna.

Per inciso, come curiosità turistica, devo ammettere che la zuppa di cane è saporita.


Pyongyang è la morte.

Da quattro giorni siamo alloggiati in un albergo che dà su una piazza infinita e non succede nulla.

La noia, l'inerzia, mi stanno uccidendo lentamente. La televisione trasmette ininterrottamente comizi di Kim Jong-il in compagnia di una coreografia invincibile di militari. Solo questo. E quell'uomo mette paura, un metro e sessanta, tozzo e cattivo, trincerato dietro sinistri occhiali da sole. Prende corpo e verità la tesi di Toshimitsu Shigemura, professore universitario, che sostiene che in realtà Kim Jong-il sarebbe morto nel 2003 e ora in giro ci sarebbero solo dei suoi sosia. Non esiste computer, il telefonino non funziona. Qualunque parola uno pronunci viene intercettata. Ne ho la prova. Facendomi la doccia, il sapone nord-coreano mi ha irritato il pube rendendomelo violaceo e allora ho istintivamente urlato:

"E che cazzo! Ma un bagnoschiuma normale non ce l'hanno?".

Dopo cinque minuti un cameriere ha bussato alla mia porta e mi ha portato un bagnoschiuma di una nota marca russa.

Astutissimo quale sono, ho riprovato il medesimo schema e ho urlato:

"E che cazzo! Ma una bella ragazza coreana non si può avere in questo posto?".

Dopo cinque minuti hanno bussato alla porta e il direttore dell'albergo mi ha detto in italiano stentato:

"Ora non esageriamo, però".


Dalla mia finestra si può ammirare una statua in bronzo alta venti metri, al centro della piazza, raffigurante Kim il Sung, il padre di Kim Jong-il, che qui è come Dio.

Anzi, un po' più di Dio.

Opera, letteratura, cinema, teatro, musica parlano esclusivamente di lui e delle sue gesta. Non c'è spazio per nessun altro argomento.

Le strade sono di dimensioni clamorose, due volte gli Champs-Élysées parigini, ma passano solo un paio di macchine ogni ora. Le macchine sono uguali le une alle altre. In maniera del tutto insensata, al centro della strada, c'è una vigilessa in divisa che regola con movimenti sicuri delle braccia un traffico che non esiste. Ogni tanto passa qualcuno a piedi o in bicicletta. Il massimo dell'interesse lo provo quando passa una donna. Sono meravigliose le donne coreane. Di una bellezza assoluta, indimenticabile. Sono porcellane. Di una purezza intoccabile. Immacolate, inavvicinabili, e se anche fossero avvicinabili non lo farei perché avrei paura di sciupare tutta quella bellezza cagionevole.

Al mattino presto scorgo attraverso la finestra gruppi di

bambini in divisa che vanno a scuola cantando inni rivoluzionari inneggianti al caro leader. Dopo, per tutto il resto della giornata, non accadrà nient'altro di significativo.

Quando non ne posso più, vado nella suite di Fabietto. È molto prossimo all'esaurimento nervoso perché non riesce ad avvertire il paesaggista scozzese che mancherà l'appuntamento. Ora però si è un po' ringalluzzito, perché, pare, secondo fonti non del tutto attendibili, che si stia avvicinando il meeting con il leader nord-coreano. Quando approdo nella sua stanza, lo trovo che sta discutendo col consigliere anziano sulla opportunità di regalare al "Glorioso Sole del ventunesimo secolo" una cravatta di un famoso sarto napoletano. Il consigliere suggerisce una sobria cravatta blu a righe oblique. Fabietto insiste per quella a pois rosa oppure sarebbe ancor più spiritosa quella raffigurante gli uomini rossi che mangiano i bambini. Il consigliere anziano, limitrofo alle lacrime, lo sconsiglia caldamente dall'optare per quest'ultima soluzione. Fabietto è in fibrillazione, è su di giri, si guarda allo specchio in continuazione, sfodera il suo sorriso da ex venditore infallibile. Il consigliere consulta una cartella e gli riassume i tratti fondamentali del carattere di Kim Jong-il.

Dice:

"Kim ama le feste e le donne, ha senso dell'umorismo, dorme tre ore a notte, ha più l'animo dell'artista che quello dello statista".

Fabietto si alliscia i capelli dinanzi allo specchio e sentenzia serio:

"Penso che andrò d'accordo con questo Kim Yang-tul".

Il consigliere accascia il capo e sibila con un filo di voce:

"No, Kim Jong-il. Fai attenzione Fabio, ci tiene moltissimo al suo nome. Ne ha già condannati sei ai lavori forzati perché una volta hanno sbagliato una sola sillaba del suo nome".

Fabietto si accorge di essersi ritrovato con dei capelli tra le dita. Allora dice traumatizzato, senza forze:

"Mi stanno cadendo i capelli".

Il consigliere gli tira su il morale:

"Se cadono, significa che non servono".

Fabietto gli lancia un'occhiata malvagia attraverso lo specchio e conclude perfido:

"Se riesco a tornare in Italia, devo assolutamente svecchiare il gruppo dei miei collaboratori".

Fabietto si è infilato la giacca e ha stretto il nodo della cravatta, pronto per il grande incontro. Invece approda nella suite un cameriere preceduto da un militare e dalla traduttrice. Il militare dice che Kim Jong-il si scusa, ma non può ancora incontrarli, forse la settimana prossima...

Il cameriere ha lasciato sul tavolo delle amabili zuppe di cane e si è dileguato insieme al militare. Dopo un minuto di silenzio luttuoso, Fabietto ha perso la testa e ha urlato con foga disumana: "Maledetti comunisti".

Io e il consigliere ci siamo avventati su Fabietto per tappargli la bocca, ma era tardi.

Quello che proprio non si poteva dire, l'ha detto. Poi si è accasciato su una poltroncina e ha cominciato a singhiozzare. La bella traduttrice si è avvicinata al nostro Fabietto e gli ha accarezzato quel che restava dei capelli. Lui ha sollevato lo sguardo su di lei, si è ricomposto, le ha sorriso con smalto e brillantezza e ha proferito con grande sicurezza:

"Se vieni via in Italia con me, ti faccio fare il sottosegretario".

Il consigliere anziano, esausto, ha detto una parola sola:

"Ancora?".

Ho cercato di tirar su il morale suonando *Carmela* di Sergio Bruni, ma era tardi anche per il buonumore. Fabietto, tristissimo, durante la seconda strofa, si è trascinato alla finestra e, con occhi lucidi, si è soffermato con lo sguardo sull'immensa statua di bronzo del padre del grande leader nord-coreano.


Si era fatta sera. La vigilessa ancora regolava un traffico inesistente. Regnava come un coprifuoco prima del bombardamento imminente. Una luna piena illuminava la strada. Una coppia passeggiava dentro la scia di luce. Erano Fabietto e la traduttrice. Si muovevano guardinghi e silenziosi. Lei si è fermata davanti alla statua di bronzo del grand'uomo. Fabietto si è avvicinato con passo molle e felpato alle sue spalle. L'ha cinta con delicatezza. Si stava innamorando.

Le ha chiesto:

"Cosa sai dell'Italia?".

E lei:

"Quasi nulla. Vivo qui da tanti di quegli anni. E qui non arrivano informazioni dall'esterno".

A Fabietto gli sono brillati gli occhi e ha come acceso il registratore:

"Ma devi tornare in Italia con me. Un paese dove c'è un grande ottimismo e la gente è felice. L'estate vanno tutti al mare pulito della Sardegna a fare il bagno. Il pomeriggio si mettono sul pontile e fotografano i vip sulle barche. È stupenda l'Italia. Non ci sono problemi. Gli immigrati non danno fastidio. La televisione trasmette solo cose belle e inutili. Quando c'è un problema, raramente devo dire, arrivo e lo risolvo in due giorni. Certo, alcuni non lavorano, ma secondo me è perché non hanno voglia di lavorare. Ci sono alcuni cattivelli ma stiamo cercando di renderli inoffensivi. È meravigliosa l'Italia. Un paese pieno di gente semplice".

E lei:

"La gente semplice non conta niente".

Fabietto, sospettoso:

"E chi lo dice?".

"La gente semplice," ribatte lei.

Allora sono rimasti in silenzio per un tempo, fino a quando lei ha detto:

"Ho i piedi freddi".

E lui, continuando a cingerla da dietro, ha chiuso gli occhi sognante e le ha promesso:

"Ti regalerò delle pantofole di lana a forma di cagnolini".

Lei ha riso. E lui non ne è sicuro, ma ha il sospetto che in quella risata ci fosse una puntina di disprezzo.

Così mi ha raccontato.


Ci siamo, finalmente.

Con un codazzo di auto attraversiamo un arco di trionfo più grande di quello di Parigi. Ci stanno conducendo al leggendario palazzo di Kumsusan. Il luogo dove i coreani del Nord vanno a omaggiare un'altra statua immensa di Kim il Sung. Ne baciano la base e poi, prontamente, degli inservienti disinfettano tutto.

Attraversiamo saloni maestosi e senza vita. Facciamo anticamera per un'ora. Fino a che una fibrillazione composta dei militari ci lascia intuire che Kim Jong-il è arrivato.

Un generale si avvicina a Fabietto, che nel frattempo ha raggiunto uno stadio della pressione sanguigna di settecento pulsazioni al minuto, e gli dice che il leader supremo è pronto a riceverlo.

Fabietto e la traduttrice scompaiono dietro una porta grande come una palazzina non terminata del casertano. Fabietto vorrebbe prendere la mano della sua nuova fidanzata, ma si trattiene.

Vengono condotti in un altro salone e ora sono proprio nel cuore vivo della Corea del Nord.

Il salone dove dietro una teca infrangibile alberga, imbalsamato, il corpo di Kim il Sung. Sembra vivo. Pare che grandissimi imbalsamatori russi si siano occupati della preziosissima salma ricorrendo a complicatissime operazioni di maquillage mortuario.

Fabietto non crede ai propri occhi. Poi scorge, dietro la teca del cadavere, su una sedia modesta, proprio lui, il tozzo dittatore Kim Jong-il.

Fabietto indossa il sorriso e gli si avvicina per stringergli la mano. Kim è serio, impenetrabile. Stringe la mano di Fabietto e, senza dire buongiorno e buonasera, lo apostrofa come merita: "Maledetto comunista sarà lei!".

Fabietto è prossimo all'infarto. Raccatta le parole migliori e, costernato ai limiti del servilismo più insulso, sussurra al grande leader:

"Io le chiedo profondamente scusa, Kim Tan-sui".

Non vola neanche un moscerino.

Fabietto ha sbagliato nome.

Kim Jong-il lo guarda e non dice niente.

Non c'è bisogno di dire niente.

Fabietto è terrorizzato, però vuole dire un'ultima cosa.

E la dice.

Porta lo sguardo alla salma imbalsamata, che sembra viva, di Kim il Sung e dice al figlio Kim Jong-il le seguenti parole:

"Devo proprio dire che voi comunisti siete più intelligenti di noi del centro-destra. Lei ha fatto imbalsamare suo padre. Un'idea che a me, purtroppo, non è venuta. Se l'avessi avuta, forse, la mia vita sarebbe stata completamente diversa. No, non solo diversa. Ma migliore".

A questo punto è successa una cosa veramente incredibile.

Kim Jong-il ha guardato Fabietto con grande attenzione.

Lentamente, gli ha elargito un dolce sorriso e, veramente come un padre, gli ha detto esattamente le parole che aspettava di sentirsi da una vita intera.

Gli ha detto:

"Fabietto, anche se sei prossimo agli ottant'anni, tu devi fare una cosa fondamentale. Fabietto, tu devi crescere".

# 5.

## Le ballerine di lap dance

> Ma la grande, la tremenda verità è questa: soffrire non serve a niente.
>
> CESARE PAVESE, *Il mestiere di vivere*

Erano le otto di sera a Roma. Vagavo lungo via Labicana alla ricerca di niente. C'erano quaranta gradi all'ombra e l'umidità si era posizionata sulla grave cifra del 94 per cento, ma non era il caldo il mio problema. Perché a settantasette anni, compiuti appena due ore prima, il problema era che avevo scoperto, per tratti precisi e inequivocabili, il significato della parola avvilimento.

Ero solo, ma la solitudine non è mai stata il mio problema. Ero vecchio, ma la vecchiaia non è mai stata il mio problema. Ero solo lacerato dall'assenza. Lo devo dire. L'assenza dell'amore. Come un sedicenne. Ma senza l'autocompiaciuta, vittimistica potenza tipica del sedicenne in deficit d'amore. Quella risorsa lì, memorabile, vorace, potentissima, non appartiene agli uomini adulti. Negli ultimi, l'assenza d'amore perde i suoi connotati onirici e romantici e si fa concreta, realistica, oggettiva. Dunque, insopportabile. Il romanticismo alligna ancora da qualche parte, ma tende a farsi ricordo, e la consapevolezza della propria pochezza t'impedisce di sperare di ritrovare il romanticismo nel domani. Non è l'età avanzata che limita il sogno, ma la propria pochezza, la consapevolezza di non meritare e la coabitazione forzata e inviolabile del tuo io col senso di colpa. La vecchiaia non è mai un buon alibi per l'assenza di futuro. È l'indicibile aridità che sta al fondo di te stesso che paralizza la schiarita sul futuro.

Non sei meritevole. Gli altri lo sono? Sono meno aridi di te? Probabilmente no. Ma questo pensiero non conforta. Perché ci sei solo tu e il tuo problema, adesso.

La depressione lascia il passo a un pensiero semplice ma che non riesce mai ad abitarmi: facciamola finita. Sì, facciamola finita contro il più bel tramonto romano d'agosto. Poi mi sono ricordato che giorni prima vagavo con gli stessi sentimenti di ora in una libreria e ho letto sul retro di una copertina una frase di Cardarelli che diceva più o meno così: "Roma oggi ha un tramonto che si potrebbe rimandare un suicidio". In altri tempi avrei sorriso. Non adesso. Ho pensato che questa frase deve essere stata pensata da Cardarelli in un momento di serenità. L'ironia, purtroppo, non appartiene al repertorio di chi versa nelle mie condizioni. Che peccato! Proprio quando servirebbe, l'ironia, quella va a fare compagnia agli stronzi con lo champagne in mano sulle barche.

L'ironia è come il danaro: va sempre dove non serve.

Sere prima, un attore che ha frequentato a lungo Fellini mi ha raccontato una bella storia.

Il grande regista, in un momento non facile, aveva preso a incontrare psicanalisti.

A ciascuno si presentava cortese, si sedeva di fronte, estraeva una foto di se stesso a tredici anni e, con la voce candida che ce lo ha fatto amare, diceva pacato mostrando la foto:

"Dottore, io voglio tornare a questa foto. Lei mi può aiutare?".

Nessuno lo poteva aiutare. Sulle prime, mi sono detto che Fellini, con questo semplice gesto, aveva individuato la sintesi di tutto il fardello insopportabile di malesseri che l'uomo si porta appresso. Voleva tornare lì, in quel luogo ameno dove la felicità seduceva con la sua naturalezza, in maniera ineluttabile. Dopo non sarebbe stato più così. Si disperde nell'adolescenza, a gocce, l'ineluttabilità della felicità. Ma non basta prendere atto di questo pensiero. Non è sufficiente e non è onesto. Fellini non voleva guardare le cose nella loro interezza. C'è una felicità successiva, adulta, rapsodica, faticosa, ma c'è. Essa è legata alla nostra capacità di costruire dentro i confini della responsabilità. È un lavoro che ci richiede di essere adulti. Ho avuto la capacità di costruire dentro i confini della responsabilità? C'è da dubitarne.

Ero troppo occupato a inseguire quella foto come la inseguiva Federico Fellini.

Ti crogioli nell'idea di essere bambino a lungo e poi, d'un tratto, scopri che l'amore è pronto a voltare le spalle al bambino. L'amore desidera l'adulto responsabile che ha lavorato all'edificazione della propria responsabilità. E ha ragione.

Dov'è l'amore che non mi merito? È naufragato dentro la mia ignoranza, sta affogando nell'ottusità del bambino che vuole tutto perché il tutto era, da bambini, a portata di mano.

Alla fine non resta che cercare uno specchio per dirsi con inedita franchezza: sei un deficiente.

E poi sperare nel perdono del mondo.


Faceva davvero troppo caldo e ho pensato che dovevo cercare due cose: uno specchio e dell'aria condizionata. Ho trovato entrambe le cose in un locale di lap dance. L'aria condizionata era fin troppo fredda e le ballerine si scalmanavano non per sedurre i clienti, ma per cercare un po' di calore attraverso il movimento dei muscoli. Lo specchio, invece, erano tutti i clienti del locale. Erano tutti come me lì dentro. Tutti immeritevoli dell'amore. Tutti avviliti. La condizione dell'avvilimento mi accompagna sempre più spesso. Occupa in maggioranza i miei pensieri. Mi dico, in modo impreciso, che sono depresso, in realtà sono avvilito. Non è il miglior agosto della mia vita. Diciamocelo. Ci vorrebbe un po' di buonumore per percepire gli odori dell'estate.

La cassiera, sulla sessantina, bella come la povertà, capelli azzurri della stessa tonalità della maglietta del Napoli, mi ha chiesto quaranta euro a prescindere. Non aveva la minima intenzione di dirmi di cosa avrei usufruito per quaranta euro. I suoi occhi acidi parlavano meglio di un retore. Dicevano: "Mi devi quaranta euro perché sei un deficiente. Anche tu a raccontarti in maniera poetica il tuo fallimento. Ma a me non mi freghi. Il mondo si distingue in persone dritte e intelligenti che hanno tutto quel che gli serve, e poi ci sono i deficienti. Tu appartieni alla seconda categoria. Per questo stai qua. Per questo devi pagare. Dentro potrebbe pure esserci niente, ma tu comunque meriti di pagare". Aveva ragione. Un debole moto di rabbia mi ha assalito e ho pronunciato la più volgare delle frasi.

Ho detto:

"Signora, ma lei lo sa chi sono io?".

E lei, con la calma di un gatto di pregio, ha risposto:

"Se pure lo sapessi, non farebbe alcuna differenza. Anzi, forse, peggiorerebbe solo le cose".

Ho estratto e consegnato i quaranta euro, solo per illudermi di possedere ancora da qualche parte un briciolo di dignità. A proposito, la dignità è anche un buon affare, ma solo se qualcuno è pronto a riconoscere che tu la possiedi, altrimenti, in caso contrario, se ne può fare anche a meno. Inoltre, è importante ricordarsi che quelli che lavorano nei locali sono insensibili alle esibizioni di dignità da parte dei clienti. Per questa ragione, i locali sono i luoghi con la più alta concentrazione di risse.

Dal momento che la rissa impone sempre un momentaneo abbandono della dignità.

E infatti, non appena mi sono inabissato nel locale freddo cos'è che ho visto? Una rissa. Ma una rissa da dimenticare. Flaccida, rallentata, penosa, stiracchiata. Quasi un tafferuglio fatto per dovere, per ovviare a un'incombenza che in realtà non incombeva. Un ex sedicente viveur, ubriaco, con Ray-Ban da miope, alto non più di un metro e sessanta, diseredato dalla vita a causa di una delle più brutte camicie di raso che si siano mai viste, provava a colpire un signore dall'aria apparentemente perbenina, calvo, settantenne, in canottiera e pantaloncini da mare, anche lui travolto da onde di gin tonic.

Se ho ricostruito bene, perché il litigio già volgeva verso una drammatica fine senza vinti né vincitori, il viveur con l'orrenda camicia difendeva una corpulenta compagna ucraina, sulla cinquantina, che, irrimediabilmente appesa alla cannuccia di un cocktail troppo colorato, presenziava alla colluttazione con l'impassibilità dell'imperatore che, poco lontano, centinaia di anni prima, assisteva nel Colosseo alla lotta feroce del leone contro l'energumeno.

È nei bassifondi dell'umanità che comprendi l'insignificanza della parola progresso.

Poche storie.

Il buttafuori guardava, ma non interveniva. Era una querelle indegna della sua professionalità, tanto più che i pugni e gli schiaffi dei due poveracci finivano sistematicamente per infrangersi contro un'aria che puzzava di detersivo. Finché, devastati dal fallimento, i due balordi sono caracollati l'uno sull'altro, afferrandosi per il collo e piegandosi disperatamente in avanti, come si faceva da ragazzini. È stato allora che un cameriere di buona volontà, con una mano lasciata libera da un vassoio, ha facilmente separato i due corpi, che si sono afflosciati silenziosi su divanetti arancione sdruciti degli anni settanta.

La vita latitava, ma anche la morte.

È sempre il limbo la peggior condizione dell'essere umano, e questo night era quanto di più vicino Dante potesse immaginare per farci capire cosa fosse il purgatorio.

A quel punto, l'ucraina, con un automatismo da parata da socialismo reale, si è recata con sguardo vitreo e il cocktail colorato verso il viveur, si è seduta accanto a lui e, con fare amorevole, gli ha rimesso in ordine i capelli tinti ma, con lo sguardo, al di sopra della testa del finto playboy, giuro che l'ho visto, la signora sbirciava seducente l'altro uomo che, semicomatoso, ricambiava sdrucciolevole agli sguardi.

Tremenda, tenace e inaccontentabile, l'ucraina persevera nella più triste tresca del secolo. Strafatta di routine di pannolini da cambiare a casa di qualche borghese romano, ha necessità di movimentare fino allo spasmo i giovedì pomeriggio e le domeniche. Come un terremoto del sentimento svanito. Sono molte le cose, oltre a me, che sono svanite in questo night di lap dance.

Più in là, in una caricatura del desiderio, un giovane, preda di un leggero, ma vistoso ritardo mentale, abbarbicato a una coppa di champagne come se fosse il trofeo della vita, prova mascolinamente a sedurre una minuta filippina che, a disagio come nessun altro, scruta il vuoto della scintillante palla da discoteca in stile febbre del sabato sera appesa al centro del locale, esibendo un'aranciata che, nel suo ordine mentale, è il simbolo della resistenza a qualsivoglia cedimento sessuale.

Mi si avvicina il manager del locale, un uomo identico a Gigi Proietti, si mette a guardare insieme a me il giovane e la filippina e poi, dal nulla, prorompe in una frase:

"Maestro Pagoda, lei lo sa meglio di me, tutti, con la loro vanità e la loro goffaggine, contribuiscono a regalare bellezza al mondo".

Mi ha riconosciuto di fama e io imbastisco senza determinazione la vendetta:

"Perché Tony Pagoda ha dovuto pagare quaranta euro per accedere a questo posto?".

E lui mi demolisce:

"Perché tutti, democraticamente, devono contribuire a rendere prestigioso il locale che gestisco. Piacere, Alfredo Vitiello, da Sapri".

Io dico:

"Visto che lo sottolinea, quanto ha contato Sapri nella sua biografia?".

Lui:

"Moltissimo, perché a Sapri c'è il mare".

Per uno come me, è una bellissima risposta, che apre infiniti scenari di piccoli piaceri perduti nella gioventù. Mi sorride per inerzia, ma addolorato, perché ha visto tutto della vita e non gli è piaciuto quasi niente. Lo capisco dalla profondità smisurata delle sue rughe intorno agli occhi.

Mi scruta meglio e, con fare complice, mi sussurra:

"Vuole fare un tiro?".

Io rifletto un istante e rispondo:

"Pensa che cambierebbe qualcosa?".

Si fa serio:

"Penso di no".

Chiudo:

"E allora meglio desistere".

Mi guarda ancora, perché riconosce in me se stesso al punto che dice:

"E non è la solitudine il problema. E neanche la vecchiaia".

"È l'avvilimento," lo anticipo io.

Resta a bocca aperta, perché gli ho tolto il seguito delle parole.

Riflette. Poi narra:

"Ogni tanto vado a trovare la mia ex moglie, fa la contadina, vive a nord di Roma. La lasciai perché avevo ambizioni metropolitane. Figuriamoci. Può immaginare il cretino che è in me. La vado a trovare una volta al mese. Lei lavora come una matta la terra, pianta, dissoda, vanga, affonda le mani nel terreno, io le gironzolo intorno, attento a non sporcarmi i mocassini. Lei ride di qualsiasi cosa io racconto. Ma non dà nessuna importanza a tutto quello che dico. Poi, al tramonto, si siede fuori al casale brutto e senza intonaco, davanti alle galline. Sgranchisce rumorosamente un po' le cosce sode e grosse perché è stanca. Se le massaggia con una leggera espressione di sofferenza, quasi una posa. Infine si accende una sigaretta. Aspira profondamente, guarda un tramonto che cade dietro delle brutte case di campagna e dice soddisfatta: 'Questa è la prima e ultima sigaretta della mia giornata'. Allora io la osservo con avidità e vedo dipinto sui suoi occhi stanchi il significato preciso della parola felicità. Poi va a letto verso le nove, senza guardare la televisione e mangiando un po' di frutta. Io mi rimetto in macchina e punto Roma. E piango tutte le volte".

Mi sono voltato a guardarlo, ma lui non mi guardava più. Era assorto, nel vero senso della parola.

E così, senza dirci nient'altro, si è allontanato per tornare al suo lavoro.

Io, nel vuoto, rivolgendomi a nessuno, ho sibilato senza accorgermene:

"Oggi è il mio compleanno".

Un rappresentante di bibite di Treviso, in trasferta, mi ha detto:

"Condoglianze".

E ha riso in una maniera sguaiata che alla mia età è diventata una cosa assolutamente intollerabile. Mi sono allontanato.


Istituzionale, ho fatto quello che faceva la maggioranza. Mi sono seduto a un bancone a guardare le ragazze dell'Est che si esibivano attorno al palo. Una di loro, atletica come la Simeoni all'apice, si è disposta sospesa sul palo, nuda, ma in posizione verticale, rovesciata. Era un'ottima dimostrazione di controllo dei muscoli, di agilità, di concentrazione, ma mi chiedevo con insensata insistenza a chi potesse piacere, o addirittura eccitare, la vista di una circense in posizione verticale.

Quali fantasie si possono scatenare in tal senso? Non ho trovato la risposta neanche immedesimandomi nell'avidità del diciassettenne che un tempo sono stato.

È rimasta così per un tempo, col volto che si fasciava di rosso a causa del sangue che fluiva a ritroso rendendola, al contempo, rubiconda e sofferente. Si scorgeva, nella sua esibizione, la perfezione del gesto. Esattamente ciò che ridurrebbe all'impotenza anche un maniaco sessuale. Catturava molti più sguardi, infatti, una ragazza decisamente giovane, che aveva fatto della goffaggine la sua risorsa. Tutti violentavano con lo sguardo il suo sesso esposto mentre io, non perché sia virtuoso, ma solo perché infaticabilmente alla ricerca della sofferenza per alleviare di poco il mio avvilimento, ho spostato lo sguardo di un metro per catturare il problema.

Esso era lì, il problema della giovane, goffa ragazza dell'Est.

Albergava su tacchi impossibili e il tallone era sormontato da un cerotto che, tuttavia, non riusciva a coprire del tutto una piaga violacea dovuta alla rigidità di quelle scarpe con paillette da quattro soldi. Non ci crederete, ma mi sono commosso, forse perché annaspo nella fragilità, ma ho pianto silenziosamente e, per protrarre il pianto liberatorio, mi sono perduto nel pensiero di un concetto che avevo dimenticato chissà dove. Il pensiero della crema lenitiva che mia madre mi metteva ogni volta che la mia pelle subiva il minimo incidente. E che poi, successivamente, con la stessa attenzione, ho messo io a mia figlia dinanzi alla minima escoriazione. Si sono cementati gli affetti familiari una volta e per sempre grazie alla crema lenitiva che nove volte su dieci non faceva nessun effetto. Perché le industrie farmaceutiche lo sapevano da subito che il gesto vale molto di più delle qualità terapeutiche della crema. Gli scienziati non possono non saperlo: una cosa è la guarigione e un'altra è l'affetto. Di cosa ha bisogno l'uomo, tra le due cose? Gesù, che domande! Dell'affetto. E questo è quello che ci accomuna tutti in questo locale di merda, il semplice, irrimediabile bisogno d'affetto. Siamo, qui dentro, peccatori e immeritevoli ma, porca troia, abbiamo bisogno d'affetto. E lo stiamo proprio urlando, a modo nostro, spegnendoci a poco a poco, in questa notte caldissima che, momentaneamente alleviata dall'aria condizionata, nessuno vuole più lasciare.

# 6.

## Il Pocho Lavezzi

Se la palla ce l'abbiamo noi, gli avversari non
possono segnare.

NILS LIEDHOLM

La bellezza, è un agguato di pomeriggio. Inatteso e furtivo. Il sole che sbiadisce lento dietro gli alberi della pineta di Castel Volturno. Nessun rumore. Solo il tonfo grave del pallone calciato e remoti richiami urlati di schemi e passaggi. Il prato verde e il suo odore. Un profumo che ti riconcilia con la vita e col futuro. L'allenamento della squadra del Napoli. I ragazzi che scattano, come rapinatori. I tiri improvvisi, alla ricerca del presagio del gol in partita. Questo è Cavani. La facilità d'esecuzione. La naturalezza dei gesti fisici e tecnici. Gli esercizi col pallone. La serietà che commuove, spaccata da risate convulse di chi ha vent'anni. Anche le risate sono serie. Non hanno bisogno di richiami autoritari. S'interrompono da sole. Svaniscono di fronte alle ansie da prestazione. Domenica c'è la partita importante. Lo sanno pure i muri e i camorristi. Una cosa è il calcio. Un'altra cosa è il calcio visto da vicino. Un'altra cosa ancora è il calcio dei campioni della serie A visto dentro la bellezza della pineta di Castel Volturno. Un'oasi sfuggita chissà come alla devastazione ordita dall'ignoranza. Il litorale domizio ripiega tristemente da anni nella sua morte, lasciando che anche la nostalgia di quello che fu non trovi impiego. La trasformazione al ribasso è stata così radicale che il cuore non ce la fa a incaricarsi della malinconia. Ma quest'angolo ritagliato dalla Società sportiva calcio Napoli fa rivivere il miracolo. Le cose sono intatte, meglio di allora, meglio di quando venivo a cantare a Baia Verde perché era un posto di una certa rilevanza. Per una volta, non devo dire com'era meglio allora. Pare meglio adesso.

Dimenticate il gradasso congenito che è in me. Quando Tony Pagoda sbarca nel ritiro del Napoli per assistere all'allenamento e salutare i calciatori, gli prende la soggezione. Come davanti a Dio.

I giocatori sono angeli trapassati dalla bellezza degli anni migliori. Dentro le regole ferree del professionismo, non si riesce a contenere un sentimento che sprigiona dappertutto. Sbuca da dentro le docce e da sotto i tubi di scappamento delle Bmw nere. Affiora in mezzo alle reti metalliche e alle parole in codice del gruppo. È il sentimento della libertà applicato a quell'età della vita che si finirà per rimpiangere per sempre, senza interruzioni, con ottuso accanimento e aggressiva invidia. La libertà! La libertà! La libertà!

Non me ne frega un cazzo se i giocatori sono viziati o arroganti, superbi o tronfi. Sono ragazzi. Sanno fare senza sforzo le cose difficili. Un fatto che non la smette di commuovermi e meravigliarmi. Corrono in mezzo a dei paletti con scatti da ghepardi e questo basta per farmi dire che sono innamorato per sempre di loro. Non si costruisce la vita sprofondati dentro le poltrone a lamentarsi. Chi corre e urla, ha la meglio sul mondo e su di me.


L'allenatore Mazzarri è a colloquio individuale con Lavezzi. Niente di grave. È la prassi. Una squadra ha molti figli e molti padri. Mentre aspetto che finiscano e inizi l'allenamento, mi metto a sbirciare un altro allenamento, quello dei ragazzi della Primavera. Diciottenni padroni del nuovo dialetto napoletano, una lingua a me sconosciuta. Facce da scugnizzi che dopo se ne vanno al bar Cavallo. Gente del popolo che, davanti al pallone, diventano principi e nobili. Si staccano al di sopra della merda. Fanno arte. L'allenatore fa loro un discorso che andrebbe insegnato nelle scuole.

Recita più o meno così:

"Il talento, voi, ve lo potete mettere sulla uallera. Qui mi dovete far vedere che faticate e che giocate per la squadra. Altrimenti, non giocate. Tanto il talento che poteva permettersi di fare tutto da solo era uno e basta. Era alto un metro e sessanta e adesso non gioca più. Nessun altro ha quel talento. Dunque, se volete diventare calciatori come quelli là che tra poco escono dagli spogliatoi, dovete buttare il sangue. Stasera, quando tornate a casa e accendete il computer, non vi andate a guardare i siti pornografici, ma andatevi a vedere la classifica e capite cosa dobbiamo fare. Ora otto minuti di riscaldamento, poi solo pallone".

I ragazzi non dicono una parola. Incassano. E prendono ad applicarsi come artigiani in via d'estinzione. Al bar Cavallo non ci pensano più.

Poi solo pallone, pensano.

Ancora una volta, siamo dalle parti della bellezza pura.

Corrono come dannati. Dopo poco passano i calciatori della serie A. Per ultimo, appare lui, il Pocho, Lavezzi. Quelli della Primavera lo guardano come si guarda Gesù quando era in forma.


Io Lavezzi lo conosco. Ci ha la generosità dentro i pori. È conscio del suo ruolo. Sa che è un procuratore di gioia.

In una stanza gli ho chiesto:

"Ma tu la sai fare la rovesciata?".

Lui si è messo di fronte al letto matrimoniale, ha fatto un volo di due metri e mi ha fatto vedere come si fa la rovesciata in serie A. Io ero a un metro. Sono cose che rimangono azzeccate alla memoria di un uomo, queste cose qua. Il Pocho, quando parla, ha un'unica missione: emanare equilibrio da se stesso. Non posso biasimarlo. Vive nella città più squilibrata del mondo. E tutti, chi in buona fede, chi no, complottano per tirarlo dentro il disequilibrio.

Lui me lo dice a modo suo:

"Ho venticinque anni, ma sono più maturo di tutti gli altri che hanno venticinque anni".

Ed è vero. Ha un figlio. Un divorzio. Una fidanzata argentina.

Gli dico:

"Ma perché vi sposate tutti così giovani?".

Risponde:

"Andiamo contenuti".

Me lo ripete spesso:

"Ci dobbiamo contenere," sottintendendo che se uno come lui ne ha voglia, coi soldi, la gioventù e tutta quella popolarità, ci vuole mezzo secondo per non contenersi. E per non ritrovarsi più. Qua basta niente e si finisce dentro le vasche idromassaggio a forma di conchiglia coi boss che ti fanno sentire come Scarface. I padri del Napoli invece, penso, sanno fare i padri. Hanno la pazienza di Giobbe. Come Bigon, il direttore sportivo. Un uomo con un'attitudine a una laica santità. Rassicurante e giovane. Una combinazione che mi fa riscoprire il significato profondo della parola tenerezza. O come Concica, un uomo bello con la faccia sormontata dalla malinconia di una vita trascorsa perlopiù al freddo in Canada e che ora, non più giovanissimo, non più sposato, si è orgogliosamente rimesso a vivere come collaboratore del guru Mazzarri. Uomini da più vite, una striscia di tristezza in mezzo alle pieghe della pelle, come tutti i calciatori, che interrompono la biografia più bella poco sopra i trent'anni, laddove gli altri coetanei mettono per la prima volta la testolina fuori. Ci credo poi che si sentono più adulti. A trentadue anni hanno visto tutto e percepiscono il baratro della dimenticanza.

"Pocho, parlate mai tra voi di quando lascerete il calcio?"

Gli sfugge un occhio triste:

"Mai. Nessuno ama parlare di queste cose".

E ci credo. Chi lo vuole lasciare il prato profumato, il boato della gente, così forte che alle volte in campo ci si chiama e non ci si sente? Il mal di pancia il sabato prima della partita. Le risate e i pullman. Le sfuriate del mister tra il primo e il secondo tempo. Le gambe che non te le senti dopo la partita. Se questa non è vita, allora è felicità. E come tutte le intuizioni di felicità, possono essere insopportabili. Tanto che il Pocho, periodicamente, pensa di smetterla col calcio. Lo ha già fatto una volta a sedici anni. Poi i talent scout se lo sono andato a prendere per i capelli. Sono molte le condizioni dell'uomo difficili da affrontare, la felicità più di tutte. Le orge convulse degli accadimenti nuovi fanno paura. Bisogna contenersi.


Ancora un padre mi passa davanti. Si chiama Cristiano Lucarelli. Calcisticamente parlando, non è più giovanissimo. Sembra un ottimo avvocato con l'hobby della palestra e invece è un fuoriclasse del pallone. Anche lui mette serenità. Una squadra è una complessa miscela di equilibri. Per ognuno che gira a duecento all'ora in macchina senza targa ci vuole un Lucarelli che compensa. È così che i palloni finiscono in fondo alla rete la domenica. Si parte da lontano. Si parte dall'umanità, non dal talento.

Il Pocho me lo dice:

"Sai quanti ne ho visti in Argentina? Erano fortissimi. Giocavano che mettevano paura. Te li aspettavi in Nazionale l'anno dopo e invece non li ritrovavi neanche nelle serie minori. Svaniti. Talentuosissimi e rimasti al paesello. Nessuna applicazione. La testa è tutto. Posso essere stanco, ma se ci sto con la testa gioco bene. Quando entro in campo lo so subito se giocherò bene o male perché so come sto con la testa. Non mi dico mai che sono forte. Mi dico che non sono superiore ma neanche inferiore agli altri".

"E non ti manca la vita normale di tutti i ragazzi? Che possono uscire e far tardi. Decidere di bere un cocktail in più o farsi trascinare dall'anarchia della gioventù? Tu tutte queste cose non le puoi fare."

Mi guarda senza esitazione e dice con tono neutro:

"Ci si abitua".


Il migliore amico del Pocho è Campagnaro, che sembra Kevin Costner, ma tutti i sudamericani del Napoli sono un gruppo nel gruppo. Inseparabili e allegri. Dallo spogliatoio, a volume mostruoso, arriva musica brasiliana.

Passa Hamšík, occhiali e sguardo da intelligenza totale. Sembra un giovane medico. Ha un'aria educata che lo rende elegante. Un fisico normale.

Il Pocho mi dice sincero: "È lui quello tecnicamente più forte nel Napoli".

Lo sanno in molti. Lo vorrebbero tutte le squadre a colpi di milioni. Lui si leva gli occhiali e traccia geometrie in mezzo al campo con la sicurezza di un professore universitario che studia da quarant'anni sempre la stessa materia.

Tutto questo clima idilliaco, calmo e sereno, avrà la sua somma interruzione domenica. Il giorno atteso. Il giorno della guerra. Oggi c'è la quiete prima della tempesta, ma domenica probabilmente ci sarà un difensore che dal primo minuto di gioco intraprenderà la sua guerriglia psicologica contro Lavezzi. Questo è quello che il calcio in tv non riesce a mostrare. Spesso il difensore offende, sussurra, dice cose minacciose all'attaccante anche quando la palla è lontana. Lo deve inibire nella mentalità, prima ancora che nelle gambe. Perché, come ribadisce il Pocho, la testa è tutto. Il più rognoso di tutti, in questa guerra, è Chiellini. Un colosso che gioca nella Juventus.

"Fuori dal campo tutto bene con lui," dice il Pocho. "Ma in partita è un rompicoglioni, ti innervosisce continuamente."

Il sole sta andando.

In allenamento, Dossena prova dei tiri, in controluce. Sfonda la rete, con una violenza inaudita. È la condizione di rilassatezza che lo fa essere impeccabile. Se si riuscisse a preservare questa dose di abbandono anche in partita, si vincerebbe sempre. Ma non è così.

Cavani cerca la porta da qualsiasi posizione. Se non segna, non vive. È la condanna del centravanti, si sa.

Mascara sbuca dal nulla, come i topi.

Zúñiga muove le gambe come un campione di balli sudamericani.

Lucarelli corre solitario con un cronometro in mano.

Lavezzi prende in giro il suo amico procuratore che lo aspetta a bordo campo, per ricordargli, tra battute e risate, che lui gli vuole bene e che, dal momento che la fidanzata sta partendo, ci sarà lui a contenerlo.

È l'inarrivabile spettacolo della serie A.

Lo spettacolo di chi fa cose proibitive per i comuni mortali.

L'autunno elargisce odori meravigliosi. Il sole si sta facendo sempre più basso. L'allenamento è vicino alla conclusione. Ma poi si materializza lui, il mister. Dispone la difesa e l'attacco. Fa un'esercitazione. Spiega una cosa così complicata che io penso che nessuno ha capito niente. Ne sono certo. Sembrano nozioni di geometria avanzata applicate a un pallone che rotola e il tutto da compiersi in tre secondi.

Mazzarri dice:

"Proviamo".

L'attacco si muove, la difesa si muove. Mazzarri s'incazza. Lo spiega un'altra volta. Urla, si dimena. Rimprovera Aronica che si è distratto col massaggiatore. Per rendere più comprensibile l'esercitazione ricorre a un'altra nube di parole che a me sembrano solo una ulteriore complicazione.

Dice:

"Riproviamo".

E, come in una fiaba, tutti cominciano a muoversi come aveva detto lui. Sono io che non avevo capito niente. Io sono un cantante. Loro hanno capito tutto. La testa, nel calcio, non è solo una condizione psicologica, ma è un nucleo che deve rispettare ordini dettati dal mister e si hanno pochi secondi a disposizione per fare le cose per bene.

Ma Mazzarri insiste, non è contento. Non può esserlo, se si accontentasse, la baracca si sfascerebbe in dieci minuti. Vuole la perfezione. Vuole che il foglietto che sventola tra le mani con complicati disegni, diventi realtà. Per questo, all'improvviso, dice una cosa che mi fa sussultare.

Dice:

"Quando vi muovete in questo spazio così stretto, la zona non la potete fare più. Dovete fare la marcatura a uomo. Dovete fare il duello".

Il duello. La marcatura a uomo. Bruscolotti contro Butragueño in una notte al San Paolo contro il Real Madrid. Quando giocare di notte era un fatto eccezionale che ti faceva salire l'adrenalina dentro i capelli tinti. Gentile contro Maradona. La maglia strappata. Il caldo, la birra e la spensieratezza. La mia nostalgia per i miei anni migliori. Uno fa finta che il mondo era meglio prima, ma non è vero, è un alibi, eri tu che eri meglio prima. Mi ci è voluto il mister per ricordarmelo, che ora continua a urlare in lontananza:

"Marca a uomo, marca a uomo".

La cioccolata scadente fuori lo stadio, due pezzi mille lire.

La trattativa col bagarino.

Gli amici della partita, si va con l'850 di Giampaolo Galluzzi al campo.

Sempre la stessa disposizione dentro la macchina, altrimenti si perde.

Il sale buttato sugli spettatori per scacciare la iella.

Tengo le lacrime agli occhi.

Anche la nostalgia è una forma di bellezza.

Un altro agguato in questo pomeriggio bellissimo.

# 7

# Jacqueline O'Rourke

Non tutti i giorni ci si può svegliare ridendo,
come diceva quel tale in coma.

GIOVANNI ARPINO, *Il fratello italiano*

La vita, diciamo la verità, è proprio infame. Da bambino, ricordi tutto, ma non hai niente da ricordare. Da vecchio, non ricordi nulla, ma avresti fiumi di cose da far accomodare sul tavolino della nostalgia. Ti si spappola tra le dita, come la brioche secca di tre giorni fa, la memoria dei momenti altisonanti. Tutto si fa consuetudine inerte. Quando il vecchio piange, non ricorda più perché piange. Quando il bambino piange, è perché desidera momenti altisonanti che non ricorderà. La vita è un'invenzione un po' del cazzo. Ci hanno buttato laggiù, per farci interagire. Per farci scoppiettare il cuore a contatto con tizio, caio e il tramonto e poi, puf, tutto sfuma negli ingorghi della dimenticanza. Allora ci si inventa le peggio cose per raccontarsela diversamente. Si chiama allenamento alla disperazione. L'attitudine del miserabile: nobilitare il residuo, tramandare l'intramandabile. L'umanità, dunque, è miserabile. Non si discute su questo. Eppure, non è stato inventato ancora niente di meglio. Perché, quando si palpita, si palpita. Tutte le emozioni della vita non hanno senso. Si addizionano tra loro, incongrue, per accumulo. Compongono la vita, come una lista della spesa. E questo, infine, è il senso.

"È pochino," dicono tutti gli altri.

"Questo passa il convento," diceva solo mia madre, che c'era stata veramente in convento.

77

Aveva guardato, da vicino, tremante di paura, le frustrazioni delle monache. Tutta un'altra storia. C'era di mezzo il sangue fluido e snello. Altre gradazioni di cattiveria, quando si chiamano in causa le suore. Ve lo dice Pagoda vostro.

Togliete il sesso ai maschietti e ci sarà il nervosismo.

Toglietelo alle femminucce e ci saranno i presupposti per la guerra.


Mi trastullo con questi pensierini ottimistici a diecimila metri d'altezza, nella business class del volo American che porta fino a New York, città dalla quale si registra la mia assenza dal lontano 1980. Sulla super poltrona, mentre provo, con l'eccitazione insensata di una creatura di nove anni, la posizione numero 3, cioè schieramento da sonno, ecco che mi si materializza l'hostess di sessant'anni. L'età non le ha appannato il fascino. Macché, l'esperienza glielo mette tutto in evidenza, come la vetrina della boutique appena allestita. Dalla sua bellezza assoluta si stacca un braccio bianco ed etereo che mi porge lo champagne di benvenuto. La mia dentiera sorride grata. Perché solo il depresso grave non prova più sorpresa alla vista dello champagne. E io non sono né troppo stupido, né troppo intelligente per essere depresso.

La medietà, sorelle e fratelli, è un'eterna salvezza. Ti ancora alla terra. Come il topo.

Comunque, il mio programma è lampante. Mi bevo tutto lo champagne che mi offrono, mi corico e mi sveglio solo quando vedo i grattacieli a Manhattan che mi occhieggiano attraverso milioni di lampadine. Ma questo bel programmino viene subito vanificato dagli occhi vividi dell'hostess americana che mi scruta con sordido carisma e dice poche parole che fanno venire giù il mondo.

Mormora:

"Io e te, tanti anni fa, ci siamo amati".

Dunque, ragioniamo.

Io, questa bellezza americana proprio non me la ricordo. Eppure una donna così proprio non dovrebbe perdersi nella merda della smemoratezza senile. Andrebbe ricordata e incorniciata. Ma questo significa diventare anziani. Sprofondare nell'insensatezza. Non ricordare ciò che è stato fondamentale, si diceva. E mentre cerco di organizzare la rispostina, lei è già a distribuire champagne al prossimo. Ma quel sorriso di lei, lo riconosco; da qualche parte della mia lunga vita, mi ha concesso l'accesso alla gioia. Tutto il viaggio cerco di decodificare quel sorriso in episodi concreti, un nome, ma niente. Potrei, con una scusa qualsiasi, puntare la cambusa dove intravedo la bellezza americana che riposa prima di organizzare il prossimo, piccolo rinfresco e chiederle di fornire altri dettagli del nostro antico incontro, ma non lo faccio. Renderei tutto penoso e prevedibile. Non si deve mai precipitare l'amore al livello della cronaca.

E quando faccio per scendere dall'aereo, bluffo e le dico furtivo:

"Sì, è vero, ci siamo amati".

Lei mi sorride, ma è delusa dalla mia amnesia. Lo ha capito in un istante che non mi ricordo un beneamato niente. È preparata a tutte le menzogne degli uomini come me. Sa tutto.

È un'enciclopedia del sentimento. Non si diventava hostess tanto per servire da bere a quattro stronzi sbracati sulle poltrone. Si diventava hostess per amare. E guardare nude la pioggia scrosciare dietro le finestre delle promesse mancate.

Nascosti nei petti villosi da motel, si accasciavano gli alibi della modesta scelta professionale: viaggiare, viaggiare, viaggiare.

"Mamma, papà, voglio girare il mondo," dicevano le ragazze con occhi luminosi che gli uomini avrebbero spento a forza di fughe, parolacce, orgasmi cinici e battute infelici. Questo è il maschio, un coacervo di errori e di gaffe. Tonnellate di passi falsi che, col tempo, avrebbero trasformato le ragazze in donne. Gigantesse deluse e gli uomini sempre un gradino più in basso nella classifica dell'insulsaggine.

Abbandono l'aereo.

New York, rispetto agli anni settanta, è molto peggiorata. È diventata ordinata e addormentata, come una città svizzera o un paese svenuto della Provenza.

Prima c'era l'imbarazzo della scelta delle puttane. Ora non solo non c'è l'imbarazzo della scelta, ma non ci sono proprio più le puttane. Una vergogna! Times Square e le strade limitrofe erano un osservatorio del mondo. Papponi, barboni, reietti, rifiuti, disturbati mentali, turisti affamati di droghe, crimini e ossessioni sessuali. Tutto svanito. La città vivente si è imbucata altrove. Il resto si è incanalato nell'aberrazione di un commercio asettico. Neon e luci scintillanti che un tempo proliferavano senso in virtù del loro opposto: il buio dell'umanità ingarbugliata e cadente nei vicoli e nei peep show, ora, non c'è più.

Le luci rimandano solo ad altre luci. La città un tempo più frastagliata del mondo si è ridotta a un blocco monotematico fru fru. Scomparsi i mafiosi, Little Italy, i bar malfamati, è diventato tutto un gigantesco progetto di studenti isterici, turisti abbagliati dai computer, modelle che cascano agli angoli di strada per denutrizione.

Hanno mandato via la parte migliore della città credendo che fosse la peggiore.

Un errore imperdonabile.

Prima potevi osservare l'uomo e le sue degenerazioni, ora l'uomo e i suoi buoni propositi.

New York è diventata un conclave d'ipocrisia. L'unica perversione sopravvissuta è l'obesità. Ma si stanno applicando come forsennati per eliminare pure quest'ultima bruttura che a me appare una tenera, fiera bellezza.


Per fortuna, resistono spavaldi, furtivi rappresentanti della vecchia guardia.

Come un mio amico di sempre, Nando Iannaccone. Vecchio boss della Camorra, esiliato a New York quando le cosette si misero male a Napoli per via di certi brutti ceffi che volevano fare il record dei morti al di fuori delle guerre ufficiali. Allora, Nando prese l'adorata moglie dal nome ambiguo assai: Ninfetta, e i suoi sei figli dai nomi crudeli: Alfa, Beta, Gamma, Delta, Epsilon, Zeta, così chiamati non in omaggio a una forte, radicata cultura classica, ma solo perché Nando chiuse da ragazzo un affare piuttosto rilevante a Mykonos, e li portò tutti a Nuova York.

Appena sbarcò a Manhattan, pronunciò ai familiari una frase entrata nella storia:

"Ragazzi, siamo nella grande mela con un unico obiettivo: mangiarci tutta la mela".

Non è andata esattamente così, ma non si può dire certo che Nando viva di stenti.

A colpi di furti, soprusi e carichi di cocaina ben piazzati, Nanduccio si è organizzato un bellissimo conto corrente.

Mi ha fatto venire qui perché si è sposata Delta. Ottocento invitati. Davanti ai quali ho cantato, con antico stile, quattro bei pezzi del mio repertorio. Durata dell'intera cerimonia: quattordici ore nette consecutive. Numero di portate: sessantaquattro. Numero di rutti soppressi: quattordicimila. Ricoveri al pronto soccorso per occlusione intestinale: sedici. Infarti fatali: due. Clou della serata: entrata in scena di un elefante con una gigantesca maglietta azzurra con su scritto:

"Cavani, dacci una ragione per stare al mondo".

Nanduccio, non pago delle sessantaquattro portate del

matrimonio, il giorno dopo mi ha voluto portare a tutti i costi a cena.

"Ti faccio mangiare ad alto livello. Ho prenotato da La Grenouille, il migliore ristorante francese di tutta New York," ha detto grattandosi l'ascella perché il nichel della pistola, a contatto con la pelle, gli stava procurando una brutta allergia.

Fuori al locale, davanti a una nidiata di auto nere a noleggio, Nando mi ha prestato una cravatta sua. Neanche una limousine, scomparse insieme alle puttane. Colpa della crisi. Ma dentro il locale, la crisi non era ravvisabile. C'erano solo ricchi veri. "Old money," ha sintetizzato Nando mentre guadagnavamo il tavolo, lasciando cadere un cenno inequivocabile a significare che gli unici arricchiti eravamo io e lui. Ed era vero, manco una rifatta o un cafone, aplomb a tonnellate, bionditudine dappertutto, donne di classe prossime allo sbriciolamento corporeo, inchiavabili come la Merkel, parole del nostro. Mentre prendevamo posto, io ho fatto cadere un abat-jour situato sul tavolo per fare atmosfera, mentre Nando ha scacciato in malo modo un cameriere che voleva sistemargli la sedia. Nando ha detto in inglese, a voce non bassa, al cameriere:

"Ci ho la quinta elementare ma ho imparato a sedermi da solo e ora, per iniziare, foie gras con la pala".

Il cameriere e tutti gli astanti ci hanno guardato interrogativi.

Nanduccio li ha passati in rassegna uno a uno. Non capiva il loro stupore.

Ha detto:

"Ma che avete finito il foie gras? Non mi date questa brutta notiziola che ve lo faccio andare a prendere di corsa con un mitra puntato sul culetto".

Un maître canuto, impassibile come una porta, ha detto calmo:

"No, signore, non abbiamo finito il foie gras".

"Bella mossa, brother," ha replicato ilare Nanduccio e poi, senza neanche farmi consultare il menu, ha sentenziato esperto a un nugolo di camerieri assediati dall'ansia:

"Risotto coi funghi selvatici americani, filetto, soufflé di cioccolato, champagne e poi il conto, mo' non ci rompete più il cazzo che non vedo a Tonino mio bello da quarant'anni".

Poi, guardandomi dritto negli occhi, mi ha detto con un moto di tenerezza:

"Non sei cambiato, Tony bello, e ieri hai cantato come Zeus".

Allora io:

"Grazie Nando. Tu invece sei cambiato rispetto a quando eri ragazzo".

Nando, folgorato dalla sua stessa risata:

"E grazie al cazzo Tony che sono cambiato. Mi sono dovuto fare tre plastiche facciali per sfuggire ad attentati e a poliziotti laboriosi. Anzi, fa' 'na cortesia, per sicurezza, chiamami Antonello".

Poi si è voltato di scatto, ha intercettato gli occhi azzurri di una settantenne ereditiera dell'Upper East Side che lo guardava, per ricorrere a un eufemismo, scandalizzata.

Nando, psicologia zero, le ha detto:

"Non mi fare gli occhioni, milady, che il mio cuoricino batte solo e sempre per Ninfetta".


Ninfetta, detto in segreto tra noi, non è più una ninfetta da molto tempo. Ha sessantacinque anni, le mancano sei denti e un rene, pesa e assomiglia a una balena più grossa delle altre balene, e quando parla, non parla, ma elabora vocali e consonanti all'interno di complicatissimi rutti tendenti a rilasciare nell'aere un saporito odore di ragù.

Di questo assemblaggio umano, Nando è gelosissimo.

A ogni guisa, abbiamo mangiato alla grande, sebbene il soufflé fosse la cosa più prossima a una bitta nello stomaco.

Appesantiti come navi, abbiamo fatto due passi faticosi lungo Midtown.

A un tratto, Nando si è appoggiato esausto a una colonna di un grattacielo.

E mi ha detto:

"Te lo ricordi Sergio Pepe?".

E io, radioso:

"Certo, Sergio, il figlio del portiere del nostro caseggiato a Napoli".

"Bravo, lui," dice Nando e, battendo la mano sulla colonna, aggiunge: "Abita qui".

Io sono sorpreso, alzo gli occhi e scorgo questo grattacielo buio di cento piani.

Dico: "Qui? Strano, mi sembrano tutti uffici".

Tra nubi di champagne, Nando sorride e dice:

"Non sopra, ma qui, dove ho la mano, nella colonna".

Mi guarda beffardo. Sto cominciando a capire. Ho paura.

Dice:

"Non è proprio che ci abita, diciamo che riposa. Questi grattacieli hanno fondamenta solide".

Io, addoloratissimo:

"Ma che aveva fatto Sergio Pepe? Era un uomo buono".

Nando ora tradisce un incattivimento:

"Buono, dici? L'anno scorso era venuto a trovarmi e, nel vedere Ninfetta, le aveva detto 'Ti trovo bene, Ninfetta'".

"E allora?" chiedo incredulo io.

"E allora ho ravvisato gli estremi dell'avance sentimentale in quel 'ti trovo bene' e dunque ho integrato Sergio Pepe nella colonna di questo grattacielo moderno."

Sibilo avvilito: "Ciao Sergio, ciao Nando".


Mi sono allontanato da solo, in mezzo alla maestosità della notte di New York.

Passeggiavo nei rumori e nelle puzze della città e ho dovuto rivedere le mie posizioni. D'accordo, non c'è più tutto quello che avevo amato da giovane solo perché ero giovane, ma va detto, questa è una città che ti strappa il respiro e ti fa venire in mente che puoi fare qualsiasi cosa. Anche ricordare. E, all'improvviso, è quello che ho fatto. Ho ricordato. Cosicché, quando l'ho incontrata di nuovo sull'aereo del ritorno, non ho perso tempo, sono andato dritto da lei e gliel'ho detto:

"Jacqueline O'Rourke. A trent'anni. La mia paura di volare. Tu mi tenesti la mano. Io ti dissi di tenermela per sempre. Tu mi dicesti che l'avresti fatto. Il weekend nell'Hilton dell'aeroporto a guardare gli aerei che decollavano di continuo. Noi due sotto le coperte. Nudi a sentire le lenzuola fresche. Ordinavamo hamburger che dimenticavamo di mangiare perché ostaggi delle nostre, reciproche dichiarazioni d'amore. Tu mi guardasti e dicesti 'Questa è la vita'. Io ti guardai e dissi 'Sì, questa è la vita'. E mentre lo dicevo, già non ci credevo più, perché è così difficile dire cos'è la vita e poi crederci veramente. Non io, Jacqueline. Non io. Mi dispiace che ti ho deluso. Sono passati molti anni. Spero che tu possa perdonarmi".

L'hostess Jacqueline O'Rourke ha tirato fuori un bel sorriso che mi sono perso in tutti questi anni. Mi ha perdonato, nello stesso istante in cui io ho chiaramente messo a fuoco un concetto semplice: è la vita che è imperdonabile.

# 8.

## Antonello Venditti

*La proposta ci pare interessante*
*Noi paghiamo, lei resta riverente.*

ANTONELLO VENDITTI

Le grandi città, è notorio, la notte non dormono. Solo la domenica mattina.

Se piove, dormono un po' di più, alleggerite dei sensi di colpa. Inoltre, un discreto tasso di umidità garantisce che la domenica mattina assomigli, in termini demografici, al quindici agosto. Questa fortunosa convergenza di eventi mi ha spinto a fare ciò che non faccio quasi mai a causa degli acciacchi implacabili dell'anziano: la passeggiata.

Dunque, ho puntato Trastevere, la chiesa di Santa Cecilia. Neanche un turista volenteroso sul mio cammino.

Roma, finalmente, assomigliava a quel che è: una straordinaria città morta.

È l'integrità del cadavere il grande miracolo estetico e mistico di Roma.

Essa non conosce il degrado del corpo.

Morta duemila anni fa, la città, anziché puzzare, profuma ancora di montagna. Il profumo di montagna a Roma non finisce mai di inebriarmi e di addensarmi la gioia. Mi riporta a testa bassa e piedi uniti all'ingenua, disinvolta contentezza di certe "settimane bianche" con gli amici. Si sciava male. Si cercava di farsi amici il maestro di sci belloccio per accedere a donne che, semplicemente, non erano venute. Si bighellonava nei negozi degli altoatesini e si rubacchiavano Ray-Ban vicino alla porta.

Gigino me li infilava sul naso e mi diceva:

"Ti stanno bene. Te li regalo. Puoi uscire dal negozio".

Allora risate compatte. E non avevamo vent'anni, ma quarantacinque.

Alle volte, la giovinezza t'insegue negli angoli della vecchiaia. Basterebbe questa speranza per farti dire: voglio vivere un altro poco. Guardi il medico alla scrivania come si guarda a Dio e idealmente gli si dice: "Adesso no. Adesso no. Ancora vita. Aspetto una visita: l'abbaglio della gioventù. Minutaglia, bigiotteria, siamo d'accordo, ma pur sempre spettri di spensieratezza".


Se Roma profuma di montagna lo si deve agli architetti.

Io non finirò mai di ringraziarli, gli architetti. Mi lasciano vivere in città e, mentre passeggio, mi fanno credere di avere la seconda casa a Selva di Val Gardena.

Negli anni, gli architetti, categoria di una pigrizia pari solo a quella dei camorristi disoccupati dalla Camorra, hanno stancamente consigliato alle signore ricche solo ed esclusivamente una soluzione a tutti i problemi della casa e della vita. Questa soluzione si chiama camino. E le ragioni addotte dall'architetto riguardo l'assoluta necessità del camino sono sempre state monumentali e inattaccabili.

Queste, sono le ragioni: il camino fa calore, il camino fa famiglia, il camino è bello, il camino fa casa elegante, ci puoi invitare gli amici e ci fai la brace, il camino ti fa meditabondo, guardi il fuoco e ti viene un'idea geniale per evadere le tasse, ti ci siedi di fronte, ti prendi il tepore sui piedi e ti leggi un bel libro. Nove su dieci, un libro sui camini.

Ma soprattutto!

Lo ribadisco, ma soprattutto, dinanzi al camino, quando i figli sono crollati dalla stanchezza, ti ci puoi fare una sontuosa, calda scopata d'amore. Buttarsi flaccidi sul tappeto e pensare di essere David Niven e Romy Schneider. Col cazzo! Avete dimenticato la classe, che qui si è buttata latitante.

Ebbene, tutte le famiglie ricche di Roma, non hanno mai usato il camino per nessuno di questi scopi. Neanche fortuitamente. Roma profuma di montagna perché eserciti di filippini accendono tutti i giorni i camini delle case borghesi con due soli obiettivi involontari: far assaporare a me la nostalgia della neve e rispettare la volontà dell'architetto. Si finisce per diventare sommamente rispettosi di coloro che ti strappano parcelle che assomigliano a bilanci di una multinazionale.


Si diceva che Roma è morta. Questo è il motivo per cui, stringi stringi, è il posto migliore del mondo in cui vivere. Per sentirsi vivi, non bisogna forse ossessivamente relazionarsi alla morte?

E se poi la morte ha le sembianze di una rutilante, incedibile bellezza, non ti senti ancora più vivo? Sì, è un'illusione, senza dubbio. Ma non c'è niente di male a traversare l'esistenza dentro la bolla dell'illusione. Si dice sempre che poi qualcuno viene a svegliarti e ci rimani male.

Ma questo non è vero.

Alle volte, si dimenticano di svegliarti.

Si possono attraversare dieci decenni e non accorgersi di nulla, eccetto che trastullarsi su odori, canzoncine, furtarelli, finti ragù, chiacchiericcio e camini come faccio io.

E chiamare tutto questo: una vita bella e vera.

E dire: ne è valsa la pena.

Ne deve sempre valere la pena.

Negli anni, l'esperienza assolve un unico scopo: fare da bussola nella selva di cose che valgono la pena e non. L'esperienza fissa la scala delle priorità e se trovate sessantenni che commettono quelle che a voi appaiono come inenarrabili puttanate, bene, non ve la prendete. La puttanata è la loro prio-

rità. Fissato questo principio, si finisce per provare tenerezza finanche per gli arricchiti che si sparano non uno, ma due
camini nella casa.


Ma è ora che si torni alla concretezza dell'azione. Spap-
polata chissà come la sedentarietà, guidato dall'odore della
legna, mi sono addentrato dentro la quiete dei rampicanti e
dei negozi chiusi di Trastevere. Qui, durante la settimana
pseudo-viva, i vecchi artigiani guardano in cagnesco certe
stronze senz'età immerse in tuniche verdi che rifuggono il
concetto di forma come se fosse il demonio. Vivono di ren-
dita e, con ostinazione mondana, si lasciano lusingare dalla
ricrescita dei capelli, tuttavia però si ostinano a vendere tessuti nepalesi mai toccati da mano di bambino e tavolette di
cioccolato squallidamente confezionate che non sanno di un
cazzo di niente.

Ma non ora che, per grazia del Signore, la retorica di tutti i commerci, a fronte strada, tace per riposo settimanale.

La chiesa di Santa Cecilia. Finanche la mia ignoranza, diffusa nel mio corpo sotto forma di vistose metastasi, non oc-
clude la cosiddetta sensibilità. Dinanzi alla bellezza so cogliere
non solo la bellezza, ma anche la sua congenita fragilità. Come con certe ragazze degli anni settanta, la cui irresistibile ra-
diosità non durava oltre lo spazio di un quinquennio, ripie-
gando poi in una soglia quadrata di indefinitezza. Era una vertigine di bellezza che, proprio perché vertiginosa, una volta
esauritasi, ha dovuto arrangiarsi frastornata e sconclusionata
nei meandri del commercio equo e solidale. Per questo mi
danno sui nervi quelle donne in quei negozi biologici. Ottu-
samente, inseguo quella loro bellezza svanita un lunedì pomeriggio dei primi anni ottanta. Perché l'ambizione è la morte della bellezza e loro hanno fatto finta di non saperlo.

Sebbene fatta della stessa fibra di fragilità, la chiesa di Santa Cecilia, forse perché fortemente raccomandata da un solido establishment di santi, preserva nei secoli la sua bellezza calma, addormentata, moribonda. Vi entro ed è sempre la stessa storia. Esiste il silenzio, e poi esiste il silenzio della chiesa, che è un'altra cosa. È un silenzio con l'eco, un dolce rimbombo, quello che alcuni chiamano l'alito di Dio.

In chiesa, un altro miracolo, neanche un turista americano con la cartina spalancata che poi non si raccapezza mai. Ma, dietro l'altare, una dozzina di suore, sedute a semicerchio, leggevano e pregavano. Una di loro ha catturato la mia attenzione per sempre. Era un batuffolo rotondo di un metro e cinquanta, con una pelle liscia come uno smalto rosa. Rubiconda ai limiti dello stereotipo, sembrava una bambina di dodici anni.


Quando sono uscito dalla chiesa perseverava l'assenza di esseri umani.

Tutto mi è parso un'avvenente armonia, quando una voce alle mie spalle, mi ha detto:

"L'hai vista la suora bambina?".

Mi sono voltato e ho scorto una statua umana vestita tutta di nero. L'ho guardata meglio, era Antonello Venditti. Con i Ray-Ban. Gli stessi da cinquant'anni. Questo mi ha fatto commuovere.

In seggiovia, con Gigino, ci mangiavamo la barretta di cioccolato e parlavamo esclusivamente in quale baita andare sulla base della miglior polenta. In ultima analisi, abbiamo sciato col pretesto di poter mangiare pesante. Quando ancora non ci avevano derubato il metabolismo.

Anche Antonello è in giro per le mie stesse ragioni. Le ragioni che si chiamano Roma.

Una città che è sempre una novità per la semplice ragione che la morte è sempre una novità. Quando muore qualcuno, si rimane sempre storditi dallo stupore, mica si rinuncia allo stupore solo perché abbiamo già avuto notizia di altri morti in passato. Roma è uguale.

Venditti si accende una sigaretta e mi dice che a Roma lo stesso giorno si ripete sempre, simile, ma mai del tutto uguale al precedente. Subisce delle leggere variazioni. Ma alla fine, questa somiglianza tra i giorni rende le biografie inafferrabili, impalpabili. Dice che finisci per non ricordare quando hai fatto una cosa, quando hai incontrato quel tizio. E infatti Venditti, che è di Roma e qui ci sta da sempre, tende a non ricordare fatti specifici, ma calcola le emozioni a seconda dei decenni. Eccetto quando sbarca con le lacrime agli occhi nella sua infanzia. Lì ricorda tutto, giorno per giorno, con memoria prodigiosa e gigantesca. Perché lì non c'era Roma, ma un bambino obeso. Così era Venditti, grassissimo, emarginato e stigmatizzato dalla ferocia altrui. Isolato, trovava conforto solo nell'amicizia consolatoria delle donne. E questa è stata una delle sue fortune, dice lui. È diventato, di volta in volta, Marta, Sara, Lilli. È diventato la protagonista delle sue canzoni. Niente più finzioni. E infatti le donne si decompongono ai suoi piedi con un'unica ambizione: che lui le ricomponga attraverso detonanti note di pianoforte suonate come una chitarra. Un'altra fiammata della libertà di Venditti. Quando tutti si accanivano sulla chitarra, lui scelse il pianoforte, ma s'inventò uno stile tutto suo. Suonandolo, appunto, come una chitarra e sfuggendo a qualsiasi facile catalogazione musicale. Dicevano alcuni che somigliava a Elton John, dimenticandosi che Elton John è venuto dopo e dunque Venditti mandava al manicomio tutti quelli che, come diceva (mi pare) Renoir, non vogliono conoscere, ma riconoscere. Ovvero lo sport mondiale della mediocrità, alias gli aspiranti e sedicenti intellettuali.


Passeggiando nell'immobilità della domenica, Venditti insiste su Roma. È città generosa, ma con una violenza strisciante, segreta, misteriosa. La città va avanti e indietro. Ora più indietro. I sogni sono stati traditi. Antonello fa continui paralleli con Napoli. Questa non è una novità per me. I romani trascorrono una parte considerevole del loro tempo a misurarsi con la verve dei napoletani. Ne temono certe imprevedibilità. Il napoletano li logora nell'inconscio ai romani, ma è perché non sanno bene fino in fondo. Roma è meno snob, dice Venditti e ha ragione. Napoli, questo lo dice Pagoda vostro, è la città più snob del mondo e rivendica continuamente la sua unicità. Non ha importanza di cosa. Che sia il genio di Benedetto Croce, Maradona o la munnezza per strada, Napoli è sempre sfacciatamente orgogliosa se quella cosa ce l'ha solo lei.

Finge di lamentarsi, ma sotto sotto ci sguazza come il cefalo vicino al canale di scolo.

Poi, all'improvviso, Antonello dice una bella frase: "Berlusconi ha dato un riscatto estetico all'ignoranza". Sacrosanto. Non si era mai vista una concentrazione così corposa di analfabeti sparsi dappertutto a propinarci il loro non sapere su qualsiasi argomento, dalla politica estera fino alle creme da mettere prima di andare a dormire. Una legione infinita di trogloditi che se ne stava compressa al buio sotto i tombini, sdoganata allegramente e gettata con nonchalance a capo di ministeri e telegiornali, discoteche e fattorie. Con una disinibizione così oscena da fratturare qualsiasi effetto, seppur involontario, di tenerezza.


Finiamo davanti casa di Antonello e, per inerzia, entriamo.

Il cuore della casa è un giardino affollato di divani e tavolini dove un architetto spavaldo ha installato lampade che producono calore, sostituendo l'irresistibile camino. Chiacchieriamo nel giardino. Il cielo è nero, ma non piove più. C'è calma e malinconia tra di noi. Non siamo più ragazzini, ci sbirciamo gli interstizi dei visi e le attaccature dei capelli. Tutta roba precaria. La forza del cantautore non riposa mai. Le belle case mettono a disagio, come tutte le cose compiute.

Ex abrupto, dice, senza pudori:

"A un certo punto, negli anni novanta, ho smesso di essere Venditti e sono diventato Antonello". Un'affermazione della quale, per ora, ignoro il significato.

Poi glielo chiedo di riflesso condizionato:

"Ma quando intitolavi quell'album *Che fantastica storia è la vita* ci credevi veramente?".

Un odore proveniente da un'altra casa gli solleva letteralmente il viso al cielo e gli fa chiudere gli occhi.

Venditti dice in preda a un sogno:

"Stanno cominciando a cucinare, lo senti Tony? Sono fritti. Stanno facendo i fritti," e poi si mette il dolcificante nel caffè.

No, non ci crede veramente che la vita è una storia fantastica e, mio malgrado, nonostante tutti i miei sforzi per sostenere il contrario, alla fine dei giochi e della vita deduco che non ci credo neanch'io. Quando si finisce a parlare un po' di donne, della loro influenza sulle sue canzoni d'amore, allora si fa evanescente. Preferisce non vedere. E non perché sia materia che faccia male, ma forse perché non è affatto così decisiva come si potrebbe credere e infatti torna al punto di partenza e dice che le cose più belle le ha composte tra i nove e i quattordici anni, quando percepiva i genitori come dei tiranni e la solitudine l'unica amica che era riuscito a trovare.

L'amore era altrove.

"Ho paura della solitudine, ancora oggi, e ho paura di perdere la libertà," mi confessa con la stessa sincerità di quando aveva nove anni.

Venditti contiene dentro di sé un mondo molto tortuoso e frastagliato, anche se alle volte fa finta che non sia così. Talmente frastagliato che non è affatto facile, per lui, comunicarlo. Per questo trascorre gran parte della giornata nello studio di registrazione, spesso anche il sabato e la domenica. Non cerca le belle canzoni, quelle ne ha scovate a tonnellate, ma cerca la canzone che contiene in tre minuti una verità complessa. Ha da anni un successo clamoroso, ha composto centinaia di canzoni, ma è come se non avesse trovato ancora la canzone che smaschera la sua sdrucciolevole difficoltà di stare al mondo. La consapevolezza della sua fama è un ulteriore ostacolo al ritrovamento di questa verità. A un certo punto, l'ho guardato proprio bene. Parlava, ma non l'ascoltavo. Ripensavo al titolo di quell'album. Che fantastica storia è la vita. E ho pensato che lui non ci crede proprio. Lo fissavo proprio negli occhi. Ma quale storia fantastica! Quattro gioie e quattro risate non assomigliano al fantastico. Antonello, te lo dico io, tu pensi, in ultima analisi, che la vita sia imbarazzante. E una biografia può essere anche una battaglia per vincere l'imbarazzo dell'esistenza e trovare, infine, dietro l'ennesimo angolo di Roma, la verità.

Prima o poi, quest'uomo smetterà davvero di essere Venditti e diventerà Antonello.

Allora, poi, ci darà un'ultima canzone.

Abbiamo alzato gli occhi. Roma tramontava, ma era solo mezzogiorno.

# 9.

## Stromboli

Per quanto riguarda il ridere, non abbiamo
avuto abbastanza riguardo.

ALFREDO BAU, avvocato tributarista

Piccola premessa.

Nell'ipotesi assai remota che un giorno lontano dovessi
incontrare il signor Dio, creatore di tutta questa gran confusione, io avrò per lui una sola domanda, semplice e concisa.
Questa:

"Carissimo, ma perché hai inventato i calabroni?".

Fine della piccola premessa.

Allora, per le vacanze, scendo a Capri, in preda a una sobrietà che ho deciso di intraprendere da qualche tempo per pu-
ro gusto della sperimentazione. Niente alcol e niente droga.
Questa inedita prospettiva mi fa vedere le cose da un'angola-
zione completamente differente. Scabrosa e vera. Non arrivo
neanche alla funicolare che già la si può toccare, come se fosse un tavolino, la mia inadeguatezza. Mi attraversano dinanzi
agli occhi, come frotte di saraghi vestiti a festa, le folate di volgarità identica e indistinta che si sono sedute in braccio ai va-
canzieri occasionali e presuntuosi. Tutta una gara a chi conosce meglio i segreti dell'isola, a chi frequenta i giri migliori. Una
vanità che la mia età non può più riconoscere come segno di
gioia. Insomma, scorgo tutta una baldanza da cocainomani in
erba. Una fame di divertimento maleducato. Un artificioso senso di vorticoso che non crea vortici, non mi sveglia, non mi ac-

cende, mi fa solo paura. Forse è perché sono vecchio, ormai. Ma non è tempo di porsi domande profonde così tardivamente, dal momento che per settant'anni ho fatto della superficialità la mia grande specialità. Però, non avendo mai abdicato al sacrosanto sentimento dell'intuizione, non ci penso su una volta di troppo. Dietrofront. Salpo sul primo aliscafo di ritorno a Napoli. La mia permanenza a Capri è durata trentacinque minuti. Un atto necessario. Durante il ritorno, sono costretto ancora una volta a indossare i panni sporchi della nostalgia. Sono cresciuto con una Capri popolata da feriti a morte, mi è insopportabile ora vedere catatonici travestiti da immortali pieni d'esperienza che non avranno mai.

Perché una cosa è giusta: l'uomo deve saper tracciare i confini larghi della falsità per impedire di farsi scivolare addosso, troppe volte, la merda stantia.


Ma quando entro nel porto di Napoli la vedo lì, ferma e noiosa, come una vecchia ragazza che si prepara ad affrontare l'oceano, la nave per le Eolie. Le decisioni rapide sono peculiarità dell'anziano moderno per ovvie ragioni: lo stringato tempo rimanente di vita.

E, dunque, eccomi sulla nave per Stromboli. Posto ponte, come quando avevo vent'anni. Ostaggio delle mie sigarette e di un tardo hippy ultra tatuato ed ex eroinomane che mi ha prescelto come suo interlocutore in attesa di salpare contro un tramonto che fa Napoli ancor più bella e faticosa di quel che è.

"Va a Stromboli?" dice quello con voce mortifera.

"Solo se mi promette che non c'incontriamo," rispondo io senza difettare di ironia cattiva.

Le dipendenze non lo hanno privato del senso dell'umorismo poiché ride e promette.

"C'è già stato a Stromboli?" insiste.

"Naturalmente sì, ma non mi ricordo niente perché ero

ubriaco," dico io dando però la risposta errata perché autorizza subito il prossimo a farsi tour operator.

Infatti.

"Allora deve assolutamente farsi tre ore a piedi e salire sul vulcano. È uno spettacolo indescrivibile," dice con gli occhi luminosi di sensazioni e bei ricordi.

"Tre ore a piedi in salita?" chioso sconvolto. "Ma bello mio tu stai fuori, devi immediatamente riprendere con l'eroina," concludo saggiamente.

Ride con compattezza d'animo e se ne va al self-service.

Però, poi, all'alba del giorno dopo, quando la nave si avvicina a Stromboli e, nell'inizio del chiarore, intravedi maestosi sbuffi di lava dalla sommità del vulcano dentro il silenzio sonnolento e infreddolito degli spettatori a bordo che, a differenza di quelli capresi, preservano ancora un'umanità ragionevole, allora ecco che tocca dare ragione al tardo hippy: è uno spettacolo indescrivibile, che, per essere descritto, richiederebbe la sapienza di uno scrittore francese.


A terra, un autoctono scampato all'era del mesozoico, mi conduce a una casa che, dice lui, fa al caso mio perché c'è il panorama e, parole sue, un poeta della canzone come me ha bisogno del panorama. Per arrivarci, alla casa, mi indica due salite scoscese come la discesa libera della Val d'Isère.

"In una," dice sorridente, "potrebbe incontrare i topi. Ma nell'altra..."

"Nell'altra?" sibilo io sigaretta in bocca e totalmente privo anche del ricordo dell'ossigeno.

"Nell'altra può incontrare i serpenti."

Aleggia un sospetto nel mio cuore: avessi fatto una cazzata a lasciare Capri?

"Ma sono bisce, sono innocue, non fanno niente," dice lui contentissimo.

Ma poi, preso possesso della bella casa e del bel panorama, lo capisco subito che il problema è un altro. No, non è la doccia che ho dovuto compiere in otto secondi perché nella cisterna c'erano solo undici litri d'acqua. No, il problema è che l'isola di Stromboli è popolata dall'unico essere vivente che non la finirà mai più di terrorizzarmi: il calabrone. Tutti questi bei terrazzi col panorama hanno la tettoia con le canne di bambù e quei farabutti neri, a milioni, vanno a rifugiarsi lì dentro.

"Cosa si può fare per eliminare i calabroni?" chiedo io con l'ingenuità di un undicenne.

L'autoctono prorompe in una risata memorabile che, sulle prime, ho confuso per un'eruzione del vulcano e poi aggiunge, tra lacrime di ridarella:

"Tornare a casa".

Però, per rassicurarmi, ha allungato con semplicità un braccio e, senza guardare, ha catturato un calabrone, poi ha chiuso la mano con delicatezza, uccidendolo.

Infine, ha concluso:

"Vede, non fanno niente".

Ho pensato: non fanno niente a lui.

Io, invece, so per certo che una puntura di calabrone può essere letale. Comunque, non è il perdersi d'animo una mia caratteristica. Se lo fosse stata, sarei morto molto prima. Questo è notorio.


E dunque, in pedissequa sequenza, iniziano a srotolarsi i miei giorni di vacanza solitaria a Stromboli. Alle sette, puntuale come un cucù, mi precipito sulla spiaggia dai "vichinghi", storici pescatori strombolani dai colori nordici. Fresco e garrulo, circondato da ori al collo e ai polsi, chiedo avvolto nell'ottimismo:

"Che cosa abbiamo pescato stanotte? Un saraghetto, una spigoletta, una bella pezzogna?".

Non mi degnano di uno sguardo.

Uno dice a mezza voce, deluso:

"C'è la luna piena. Abbiamo preso solo dei gamberetti di nassa".

A me piacciono i gamberetti di nassa. Ma se li mangi per dieci giorni consecutivi, come tutte le cose, cominciano a piacerti un po' meno.

Con comodo, guadagno la spiaggia nera. Muoio in solitudine su un lettino. Ogni tanto risorgo per un bel bagno. Col passare del tempo, qua e là, dagli ombrelloni limitrofi, sento frasi uguali di questo tenore:

"Uh, una coccinella, porta fortuna, non la toccare".

Dopo quattro ore posso testimoniare di aver intercettato cinquecento coccinelle sul mio corpo. Se portassero davvero fortuna, ora dovrei essere al contempo miliardario e immortale.

Alla fine, esausto, un professore universitario di Catania, urla la durissima verità:

"Col cazzo che portano fortuna. Questa è un'invasione. Queste maledette stanno migrando".

Si rompe l'incanto e, di colpo, cresce la mancanza di rispetto verso le coccinelle. Tutti a scacciarle come delle gran rompicoglioni. La percezione è tutto, si sa. Il poetico, in un baleno, si è fatto molestia. Allora, assediato da settemila coccinelle rossonere, mi siedo sulla riva. Il vulcano fa un boato, si alza un vortice di vento al quale tutti qui sono abituati e poi qualcosa mi colpisce al viso senza farmi male. È un dinosauro di gomma di un bambino. Restituisco il mostro e, privo di strumenti intellettuali congrui, cerco di decifrare il valore simbolico: un dinosauro colpisce proprio me su una spiaggia di sedici chilometri quadrati. Quale significato? Abbozzo risposte elementari, indegne di essere riferite.

Nel primo pomeriggio, a casa, per la siesta pomeridiana, prendere sonno è un'impresa non marginale. Un inferno di calabroni, assiepato come un plotone d'esecuzione fuori la finestra, dà vita a un ronzio, tipo vecchio elicottero, che incrinerebbe la calma di un maestro di yoga.

È una tecnica, suppongo vispo. Ti logorano il cervello con

un suono demoniaco così ti alzi dal letto ed esci e allora loro saranno pronti per colpirti a morte. Furbissimo, non mi muovo più dal letto fino a quando il sole si fa basso e quelli si acquietano dentro fiori bellissimi o nelle canne di bambù. A quel punto, esco per l'aperitivo, attraverso la piazzetta e incrocio i forzati del divertimento sano. Un popolo in espansione. Armati di scarpe di gomma, caschi e bastoni, sono pronti per scalare il vulcano. Se non c'è fatica disumana, non si divertono. Se la parola "sano" dovesse latitare, sono capaci di scenate inaudite. Negli alberghi, sono capaci di urlare in testa al direttore non perché il vino sa di tappo ma perché manca il succo di mango e di papaia.

Comunque, devastato mentalmente dalla guerriglia psicologica con i calabroni, decido di infrangere la mia sobrietà e mi concedo parsimoniosamente undici gin tonic al bar. Ma anche qui non c'è pace. Ci sono altri due calabroni, che somigliano a una coppia di mezz'età. Mi si avvicinano ridanciani, galleggianti in litri di vodka. Il peggio sta accadendo: mi hanno riconosciuto. Infatti lui, con una T-shirt XXL che non riesce a coprire il suo ventre alcolico, va dritto allo scopo.

Sentite qua, mi fa:

"La vuoi sentire la storia della mia vita? Ci potresti scrivere cento canzoni con la storia della mia vita".

Conto mentalmente fino a trecentoquindici e poi trovo la risposta:

"Bell'uomo, in base a quale principio hai deciso di darmi del tu?".

Vacilla, perché aveva un unico progetto per il tramonto: raccontare, per la miliardesima volta, la sua stronza vita. La moglie, per scalfire l'imbarazzo, si apre in un sorriso e mi dice:

"Pagoda, lo sa che io sono la nipote del suo collega, Antonello Ramaglia?".

Termino il gin tonic e mentre mi allontano, rispondo:

"Ho sempre detestato qualsiasi forma di nepotismo".

Naturalmente, non ha capito la risposta, però ritiene di

essere stata offesa e, mentre me ne vado, la sento dire sotto-
voce al compagno alcolista:

"Però come è brutto da vicino e come si è invecchiato".

Sono o non sono Tony Pagoda? Ho affrontato, negli anni, camorristi e commercialisti e ora mi tengo questo affron-
to? Ma neanche per il cazzo. Torno indietro. Mi posiziono a
dieci centimetri dal suo alito. La coppietta trema. Immagina
che sto per farmi violento e invece, sorprendente e democra-
tico, espongo i fatti:

"Signora, esistono due tipi di bruttezza. Una bruttezza che
sa farsi bellezza e una bruttezza che non cambia. Io appar-
tengo al primo tipo, lei al secondo".

E lei, secca: "E come si stabilisce l'appartenenza?".

E io, definitivo: "In base alla percentuale di volgarità".

Dio santo, se la buonanima di Caravaggio mi potesse sentire, statene certi che mi farebbe un applauso.


Per cena, vado al famoso Barbablù. In un bel giardino,
con i tavoli a lume di candela, inauguro una sequenza mul-
tiforme di vini bianchi e solo alla fine della cena alzo lo sguardo sugli altri commensali. Ci sono soltanto coppie che si ama-
no o che hanno smesso di amarsi e ci stanno riprovando. Mentre io sono l'unico cliente solo. E brutto. Ma io lo so che, con
un po' di fortuna, posso diventare bello. Bisogna crederci alle cose, anche quando si diventa cinici, atei e disillusi. Torno
verso casa, ma ho dimenticato l'oggetto decisivo che a Stromboli nessuno dimentica: la pila. Perché non c'è luce elettrica
nelle stradine e c'è chi, in passato, è morto andando a sbatte-
re contro un negozio di souvenir.

Terrorizzato, scalo nel buio la deserta, sterrata, salita dei
serpenti, muovendomi a tentoni con le braccia larghe, come
se, in piena notte, stessi in un corridoio alla ricerca del bagno.
E devo fare anche la pipì. E non ce la faccio ad arrivare a casa. Rischio di farmela sotto. Allora mi fermo e mi libero di

tutto il vino che ho bevuto e comprendo che ho sbagliato strada. Due occhietti infidi mi guardano senza giudicarmi. È la strada dei topi quella che sto percorrendo.

Prego, ricordando a nostro Signore che è un po' che non mi faccio sentire, ma è proprio per questo che gli voglio ricordare che, in fondo in fondo, sono un uomo buono.


Però poi, nella notte fermissima, seduto sul terrazzo di casa a guardare il panorama, i calabroni finalmente a dormire, solo col dolce incedere delle piccole onde e le barche a vela laggiù come in un bel quadro naïf, il fruscio soffice delle canne di bambù e nessuna luce elettrica, solo luce di miliardi di stelle, io, Tony Pagoda, con gli occhi lucidi di una commozione che avevo dimenticato quattro decenni prima in un'altra isola, Capri, ho formulato un pensiero autentico e assoluto. Questo: da quanto tempo non rido? È stato allora che lo scomposto rumore del mio pianto si è sovrapposto al perfetto rumore della natura perché la risposta era fin troppo facile. È davvero tanto tempo che non ridi più, Tony Pagoda. E questa è una delle cose più gravi che possano capitare a un essere umano. Su questo, amen, possiamo essere tutti d'accordo.

Quando mi sono svegliato, il pensiero dell'assenza della risata non mi aveva ancora abbandonato. Si era rafforzato, diventando una piccola gabbia d'ansia triste, e mentre osservavo un mare adesso agitatissimo e potente, quel sentimento assumeva i contorni indomabili dell'ossessione al punto che, da solo, seduto su una spiaggia a guardare le onde che s'infrangevano contro gli scogli, ho fatto quello che non si dovrebbe fare: ho provato a ridere da solo, a comando. Ne è nato, come era ovvio, un aborto sonoro falso e stridulo.

La sera, afflitto, ho guadagnato un piano-bar appollaiato sugli scogli per continuare a osservare il mare in tempesta, non prima di aver raccomandato al barman di capovolgere le proporzioni tra gin e acqua tonica a netto favore del primo. Una cantante sulla quarantina difendeva a spada tratta una vecchia hit di Riccardo Cocciante. Cantava senza infamia e senza lode. Ero sprofondato in un divanetto, ubriaco ma non al punto di rimuovere dalla testa il pensiero dell'assenza di risata, quando è accaduta una cosa notevole. Giù, a mare, le onde si sono sovrapposte le une con le altre e all'improvviso, una massa d'acqua sbalorditiva ha scavalcato il muro di cinta del bar e si è riversata con la violenza di uno schiaffo addosso alla cantante. Il microfono ha gracchiato in corto circuito e lei, ululando terrore, ha perso l'equilibrio finendo a terra col suo bel vestito da sera. Tutti gli astanti sono balzati in piedi, preoccupati che quella fosse morta fulminata. Tutti hanno fatto capannello per prestarle soccorso. Tutti, meno due persone: io e la mia vicina di tavolino. Una donna della mia età. Allora, io e questa donna ci siamo scambiati un'occhiata per un istante e poi proprio non ce l'abbiamo fatta più. Siamo scoppiati in una risata liberatoria, maestosa, infinita, indimenticabile. Aveva denti bianchi e magnifici. E dopo un tempo io non ridevo più per l'accaduto, ma perché la risata di questa donna mi contagiava e m'impediva di ritornare allo stato di normalità.

È stato uno dei momenti più belli della mia vita.

È stato uno dei momenti più belli della sua vita.

Perché ridevamo e ci innamoravamo nel medesimo tempo.

Quando, dopo un tempo infinito, con gli altri che ci guardavano in cagnesco perché eravamo veramente delle bestie a ridere della cantante bagnata e col femore fratturato, abbiamo finalmente smesso di ridere ci siamo presentati stringendoci la mano.

E io le ho chiesto una cosa che mi stava molto a cuore:

"Ma tu, ci verresti a piedi sul vulcano insieme a me?".

Lei si è fatta seria, ci ha pensato un istante e poi ha sentenziato:

"Ma neanche morta mi faccio quello scarpinetto".

E ha ripreso a ridere. E io ero felice, perché avevo veramente trovato l'amore, allora ho chiamato il cameriere e gli ho ordinato altri due gin tonic per me e la signora, ricordandogli di fare bene attenzione a rispettare le proporzioni canoniche: 97 per cento di gin e 3 per cento di acqua tonica. Lei ha riso ancora. E allora ho capito che io e questa donna non ci saremmo mai più fermati dal godere solo ed esclusivamente attraverso questo supremo strumento di felicità: la risata.

Il giorno dopo ce ne stavamo sul letto di casa mia a raccontarci esclusivamente aneddoti ilari e a mangiare tonnellate di gamberetti di nassa.

Ridendo ridendo le ho detto:

"Perché non ci fidanziamo?".

Lei ha annuito e siamo scoppiati a ridere un'altra volta. Bastava questo. Non abbiamo sentito l'esigenza di baciarci o di fare l'amore. Abbiamo solo continuato a ridere sdraiati sul letto con gli occhi chiusi ed è stato a quel punto che un calabrone mi è entrato in bocca e mi ha punto il palato procurandomi un dolore quattordici volte più insopportabile di una colica renale. A quel punto, ho smesso di ridere perché sono svenuto. Quando ho ripreso conoscenza, regnava il silenzio, ma lei mi teneva la mano. Mi ha guardato e, lentamente, in progressione, ha iniziato a sghignazzare.

Io, in preda al panico, ho urlato:

"Ho lo choc anafilattico, presto, l'elicottero, devo andare in ospedale a Milazzo".

Lei mi ha accarezzato la testa e, rassicurante come un medico, mi ha detto:

"Sono un medico, stai tranquillo, non hai lo choc anafilattico. L'unico problema, superabile, è che hai ingoiato il calabrone".

Abbiamo ripreso a ridere in un modo selvaggio, irresistibile, depredante, ed è a quel punto che ho intercettato due concetti: uno, che avrei trascorso insieme a questa donna il resto della mia vita e, due, ho capito a cosa servono i calabroni.

# 10.

## L'uomo col dolcevita

Se si sa di non valere niente solo la scommessa
con la morte può gratificare la vanità.

DON DELILLO, *Underworld*

Al bar dell'aeroporto di Fiumicino, il ragazzo dietro al bancone, nel servirmi il caffè, ha detto:

"È amaro".

Poi, senza alcun motivo, gli è caduto un dente.

A Sanremo, il mare non ha nessun odore.

La musica, anche.

Fine della discussione.

Ma dal momento che, tra il mare e la musica ci sono di mezzo gli uomini, allora, ecco a voi, per stralci e intuizioni, gli uomini. Forse.

Ennio Rapa, detto, per motivi che disconosco, l'Ellenico, è, nonostante i suoi sessant'anni, l'ultima ruota del carro della squadra dell'ufficio stampa del festival della canzone italiana di Sanremo. Hanno mandato lui ad accogliermi. Costernato come un ladro furbo, Ennio, piegato in avanti in una postura di navigata sottomissione che preserva da quando aveva undici anni, mi balbetta un concetto scandaloso.

Questo:

"Siamo distrutti dall'imbarazzo, Pagoda, ma per un disguido di prenotazioni lei non può alloggiare al bell'hotel Royal. Tutti gli altri alberghi, per così dire decenti, sono occupatissimi dal consueto circo sanremese, le abbiamo scovato solo una modesta stanzetta qui, alla pensione Rosaria. Stiamo lavorando come muli per requisire una suite al Royal degna del suo lignaggio. Se, nel frattempo, possibilmente senza protestare, potesse alloggiare da Rosaria, le saremmo grati come l'ergastolano col presidente della Repubblica dopo che ha ricevuto la grazia".

Non ci credevo neanch'io quando ho visto me stesso, rassegnato, annuire bonario. Non è da me.

Ma ho accettato perché ho apprezzato tre cose.

Uno: la discreta proprietà di linguaggio di Rapa, che andava premiata.

Due: la pensione Rosaria mi ha riportato con la memoria agli anni cinquanta. Una folata di nostalgia. Addirittura possiede ancora il bagno comune in corridoio. E Rosaria ha l'aria di una donna con la quale la chiacchiera non appartiene alla chiacchiera, ma può trasfigurarsi in un imprevedibile altrove.

Tre: ero troppo stanco per mettermi a sbraitare. Arte nella quale sono giustamente considerato un maître à penser.


Una volta nella vita, beninteso solo una, l'essere umano, qualora fosse interessato a conoscere la sterminata gamma di insensatezze delle quali è capace il suo simile, deve venire a buttare un'occhiata qui, al festival di Sanremo. Scorrazzare lungo l'unica strada, farsi entomologo di questa folla di bipedi accalcati e abbigliati come pagliacci di serie C e capire, in una volta sola, che l'uomo ha con la propria dignità un rapporto profondamente conflittuale. Vuole vincerla, annientarla, distruggerla. L'uomo, a Sanremo, tanto è contento, quando può dire radioso l'ultima sera, all'annuncio del vincitore: "Sì, ce l'ho fatta, mi sono liberato della mia dignità. D'altronde, trattavasi di un inutile fardello".

Ora, sgombriamo subito il campo da dubbi stronzi: non sono qui per la gara. C'è un limite alle puttanate che un uomo può commettere nella vita. Io l'ho già superato ampiamente quel limite. E dunque, alla mia età, quella nella quale si diventa esperti di cateteri e si gettano occhiate furtive nelle farmacie ai reparti dei pannoloni, non poteva capitare un simile inciampo da ragazzini.

No, sono qui, perché il festival, in uno slancio creativo di rara potenza innovativa, ha organizzato in occasione dell'ultima serata un medley di canzoni d'epoca con un mucchio di cantanti d'epoca.

Io faccio parte del mucchio. Con me, dovrebbero esserci anche Peppino Gagliardi, Mal, Orietta Berti, Iva Zanicchi, quel che resta dei New Trolls e Nilla Pizzi. No, forse mi sbaglio, forse Nilla Pizzi è morta. Non mi ricordo. Non mi chiedete troppe cose. Non mi frastornate. Sono impegnatissimo. Sto disfacendo la valigia e collocando i miei abitini da gentleman in un armadio di fòrmica che pende di almeno trenta gradi in avanti dando la sensazione di dover cadere da un momento all'altro sul letto. Di solito, queste tragedie tendono a materializzarsi la notte, cosicché c'è il rischio piuttosto concreto che l'armadio mi sfascerà le ginocchia prima che io possa aggregarmi a questo cazzo di medley.


La signora Rosaria è brutta come una merendina lasciata al sole da giorni. Intorno al collo della Merendina c'è un filo di perle vere adagiate su un golfino a modino del colore della pesca. Acida e minuta, travolta clandestinamente dall'artrosi, sembra appena rientrata dalle piccole vacanze di Arbasino. Scusatemi, ma ho letto molto durante la vecchiaia. Rosaria sfoggia le perle solo in occasione della kermesse canora. Gliele ha regalate il marito per le nozze d'argento, poi costui è morto quattro giorni dopo l'anniversario per lo stress accumulato nel momento in cui ha pagato quel filo di perle corrispondente a quattro volte la sua liquidazione da impiegato.

Per fare regali scomposti, ci vogliono uomini scomposti.

Il marito della signora Rosaria non era equipaggiato per le follie, neanche quelle di piccolo cabotaggio. La signora Merendina sa io chi sono, ma non si disunisce, ne ha visti che ne ha visti di cantanti passare sotto i suoi ponti. I più, mi rammenta, hanno fatto una brutta riuscita. Sono apparsi per un attimo come le stelle cadenti il dieci agosto, hanno espresso tutti lo stesso desiderio: passeggiare a lungo sui palcoscenici e, come tutti i desideri espressi il dieci agosto, essi non sono stati esauditi.

"Qui, a Sanremo, la voglia di sognare è sempre stata l'ultima ad andare a coricarsi," mi dice Rosaria.

E aggiunge:

"Prima di aprirmi la mia pensione, lavoravo come cameriera al Royal. Lei ha idea di quanti cantanti ho sentito piangere attraverso i muri del corridoio? Migliaia. Volevano il successo con la bava agli angoli della bocca, nella maggior parte dei casi sono finiti a raccogliere la merda per strada e nelle case. Finivano sempre, anni dopo, sistematicamente per pentirsi delle laute mance che avevano lasciato nei giorni del festival. Realizzavano, solo dopo anni, che anche quei quattro soldi avrebbero fatto comodo".

Tutto vero, c'è da giurarci, quel che mi racconta.

La spavalderia si presenta due volte nella vita, la prima come spavalderia, la seconda come pane raffermo.

E poi, mentre sto per lasciarla, mi chiede per finta, mentre sfoglia svogliatamente la Bibbia del Festival, vale a dire "TV sorrisi e canzoni":

"Lei, che è dell'ambiente, si è fatto un'idea di chi potrebbe vincere?".

A parte il fatto che nell'ambiente non ci sto più da anni, ma so fin troppo bene che la sua domanda è capziosa. A lei non interessa manco per il cazzo conoscere chi vincerà. Lei vuole sapere, per deduzione, chi perderà. Vuole conoscere i nomi di quelli che piangeranno attraverso il muro del corridoio dell'hotel Royal. La Merendina si aggrappa al ricordo come una licantropa. La memoria la tiene in vita, assieme alla sagoma sfocata del marito pavido che dodici anni prima le ancorava al collo le perline.

Dunque, non rispondo, perché non conosco la risposta. Infatti, ce l'ha lei, la risposta.

"Io dico che Meneguzzi quest'anno ce la fa," dice.

"Non so chi sia, signora," ribatto io. E la cosa, ai suoi occhi, suona come una bestemmia. Poiché lei sa vita, morte e miracoli di questo Meneguzzi, ma dissimula e butta là:

"Canta bene, Meneguzzi".

Ma sono troppo esperto e intelligente per prendere alla lettera questa risposta. E, soprattutto, sono stato un cantante di rilievo anch'io. Quando una tipa come la signora Rosaria dice che uno canta bene, potete anche leggere: *È un bel ragazzo e io, nonostante l'artrosi galoppante, ancora fantastico che uno come Meneguzzi mi prenda, mi strappi 'sta cazzo di collanina e mi scopi al ritmo delle perle che rimbalzano sul pavimento.*

Non essendo Meneguzzi, me ne esco.


Per strada, fa un freddo modello Danimarca.

Gli uomini sono indistinguibili. Appaiono solo ombre sfigurate di cappotti e cappelli. Ombre nere e molto furtive che sembra di stare a Praga un secolo fa.

Solo un uomo riconosco quando lo incrocio, perché ha rinunciato al cappotto per aggiudicarsi una giacca azzurra fuori moda con una camicia aperta quasi fino all'ombelico e i capelli lunghi e bianchi da artista importantissimo che non è. Non gli pare vero che lo hanno convocato a Sanremo e dunque si sta sparando tutte le cartucce che non possiede più da decenni. È un cantante. È Peppino Gagliardi. Appena mi riconosce, si affretta a compiere un gesto: infila la mano in tasca ed estrae una chiave con un ciondolo che recita chiara la seguente scritta: HOTEL ROYAL.

Sventola sotto i miei occhi la chiave come se fosse un grammo di coca purissima. Vuole farmi crepare d'invidia. Non appagato, mi rivolge un saluto esprimendo parole di profonda, falsissima solidarietà.

Queste:

"Ma che brutto misunderstanding, Tony, 'sta storia che non stai con noi al Royal".

Dal momento che sono un uomo giusto, non posso fare a meno di notare e apprezzare la finezza sottile della perfidia di quando ha detto "con noi", lasciando intendere, con quelle due paroline corte, l'esistenza di una corporazione allegra, spensierata, unita, incline al massimo divertimento, di cantanti. Della quale io non farei parte. Sorrido amabile, perché lo so troppo bene che non è così. Non c'è nessuna allegra e spensierata brigata di cantanti in giro per il Royal. Solo una rivalità da ghepardi a digiuno e un feroce, minimo comun denominatore: una costante, imbattibile tachicardia.

Hall e saloni scintillanti sono un deserto, altro che giostrine e cotillon. Tutta una sfilata di cene ordinate in camera e lasciate intatte sul bordo della porta. Eterni, prostrati dubbi delle donne sul vestito migliore e fitte lancinanti nell'area prostatica degli uomini. Si chiama paura. Una cosa che rende cattivi e furibondi. E soli. Non è ancora disperazione, quella è l'anticamera della solidarietà.

Da qualche parte in hotel, mentre lascia selvaggiamente ondeggiare la bionda coda di cavallo, Amedeo Minghi sta redarguendo qualcuno affinché non dimentichi di chiamarlo maestro. Ci tiene assai, Minghi, a questo epiteto. Aveva ambizioni elementari, evidentemente. Alla Sordi nelle sue performance più umane e desolate. Ha cantato davanti al papa e questa, anche se lui non ci crede proprio, è stata la più grande disfatta della sua vita. È una bruttissima faccenda quando lo spettatore più illustre del globo è, al contempo, anche il più incompetente in fatto di musica.

Loredana Bertè se ne sta appoggiata con la fronte sulla finestra, sorride, guarda il mare d'inverno. In mezzo alla pazzia, non le è mai mancata una feroce autoironia che l'ha tenuta in vita tutti questi anni. Con forza disumana, prova a scacciare il passato e a convincersi che il presente abbia un senso. Ma è complicato scacciare il passato quando esso veste gli abiti di un biondo dio svedese dai capelli lunghi che giocava a tennis con la stessa rilassatezza con la quale io e voi sorseggiamo caffè e prosecchi. O quando il passato appare da sotto le coperte, con la voce perfetta di una sorella che ha dato un senso concreto al significato di una parola che alcuni credevano non esistesse veramente: la sfortuna.

Sanremo è una sagra, ma contiene dentro di sé anche molti dolori che ti devastano in obliquo dentro notti indimenticabili. Spinose. Questo non lo sapeva, Rosaria, perché alle sette staccava e andava a desiderare nel corso principale attraverso i vetri blindati delle gioiellerie. Gira e rigira, la piccolissima borghesia trova sempre le risorse per organizzarsi i suoi piccoli spazi di felicità. Perché conosce in modo precisissimo il significato, abbandonato dagli altri, della parola desiderio.

Dei cantanti, Rosaria conosce solo una parte della verità. Una verità mattutina. Ma la notte è sempre un'altra storia, si sa.

La notte non porta consiglio.

Per tutte queste ragioni, Loredana, adesso, urla. Accorrono manager e portieri di notte. S'intrufolano giornalisti scaltri come troie. Ma non sanno. Sono pronti a massacrarla, annichiliti dalla loro superficialità che ha fatto fare loro carriera. Non sanno che Loredana urla un dolore indicibile, che la mette con la faccia a terra, come lo scippatore con lo scippato che prova a ribellarsi.

Tutti soffrono, ma la Bertè un po' di più.


Albano Carrisi se ne sta seduto sul bordo del letto intatto. Al buio. Ama l'ordine. Non ha disfatto ancora la valigia. Sta pensando che forse non la vuole disfare fino alla fine della sua permanenza. Così, per dispetto verso nessuno. Indossa un frivolo cappellino da baseball. È immerso in un silenzio che suggerisce un incongruo, sordido sapore di apocalisse. E pensa. Per squarci maldestri, riflette su se stesso. E decreta una cosa semplice su di sé: sono un mistero. Questo strano pensiero, chissà perché, gli fa salire le lacrime agli occhi. E ogni pianto, anche se accade per un film romantico, lui lo riconduce istintivamente a una figlia che è scomparsa. Albano sa.

Sa che lui non muore per quell'assenza. Lui muore per l'assenza della sospensione prolungata della verità. Questo è inaccettabile. E lui è costretto ad accettarlo. E questo lo fa piangere un po' più rumorosamente. Poi, cerca di modulare il rumore del suo pianto. Lo dissuade. Abbassa il volume perché sa che la sua stanza confina con quella di Paola e Chiara. Non vuole che gente di quella risma lo senta soffrire. Le mette a fuoco mentalmente per un istante, la bionda e la brunetta, attraverso la deformazione sfocata della rètina velata di lacrime e si acclimata dentro un'idea altamente condivisibile: io odio Paola e Chiara.


Solo un cantante è ancora in giro per l'hotel a quest'ora tarda della notte. È Mino Reitano. Sosta a bordo piscina, in piedi. È magro come un sopravvissuto. È un sopravvissuto. È molto malato.

E quando guarda il futuro, gli appare con le sembianze del passato.

Adesso, però, guarda la piscina blu illuminata per bene dai fari subacquei. Ama le piscine molto più del mare, anche se sa che in società bisogna sempre dire di amare di più il mare. È convinto di aver imparato le regole della società più tardi degli altri. Non è vero. Le ha imparate anche prima degli altri. Il problema è che tende a sottovalutarsi.

Un pensiero lo fa sorridere: e se mi facessi il bagno?

Non lo farà. Quante cose che non ha fatto, Mino. Ma non ha neanche senso mettersi a farle tutte adesso solo perché quando guarda il futuro avverte un senso di indolenza e un brutto odore di detersivi.

La moglie, in camera, se ne sta rigida dinanzi allo specchio del bagno. Guarda se stessa riflessa e vede una donna dotata di una pazienza ieratica, taumaturgica. Le viene in mente una parola del cui significato dubita: abnegazione. Si chiede quanto durerà questa sua pazienza con le sventure della vita. Però, non è in apprensione. Conosce talmente bene Mino che lo immagina esattamente dov'è adesso, sul bordo della piscina ad ammirare con uno stupore da bambino curioso l'acqua che si muove mollemente sotto la luce.

Passa un ragazzo e gli dice: "Ciao Mino" e Mino dice: "Ciao".

Lo ha detto con un entusiasmo così sincero, come se fossero destinati a diventare amici per la pelle. È il modo di dire ciao di Mino.

È il festival di Sanremo del 2008. Mino Reitano morirà un anno dopo. Molti, il giorno del funerale, hanno fatto finta di rispettarlo. Invece, mentivano. Però tutti, di lui, possono limpidamente ricordare una cosa incantevole: Mino Reitano non ha mai rinunciato al suo sorriso. Alcuni la chiamano incoscienza. Mino l'ha sempre chiamata voglia di vivere.

Chàpeau, Mino.


"Ciao Peppino," ho detto al Gagliardi gagliardo e spavaldissimo. Si è fatto onesto. Mi ha abbracciato. Uno scontro di ventri di una certa consistenza. Mi vuole bene, in fondo. Perché sa che sono peggio di lui. E quando incontri uno peggio di te hai sempre un buon motivo per amarlo. Ti dà la promozioncella, ti rimette nel mondo regalandoti il piccolo, sdrucciolevole piedistallo.

Ti restituisce, insomma, un valore che pensavi di aver smarrito.

Gli ho dato un bacio sulla fronte e ho fatto per proseguire la mia passeggiata. Ma prima di allontanarmi del tutto sono stato trafitto da una curiosità. L'ho rivolta a Peppino. Gli ho chiesto:

"Peppì, ma chi c'è dei New Trolls?".

Peppino mi ha guardato, si è aperto in un sorriso che lo ha fatto precipitare di colpo nell'aspetto di un ragazzo di quindici anni, e ha detto: "Dei New Trolls sono venuti la scarpa del tastierista e una bacchetta del batterista".

Non ha riso. Non ho riso. Non ho capito se era una buona battuta. Non ho capito neanche se era una battuta. Mi sono allontanato. Faceva ancora più freddo. Modello Islanda.

È spietato, il mondo della musica. Come tutti i mondi.

Poi ho detto: "Buonanotte Peppino, buonanotte Sanremo, ciao Mino".


Un centinaio di metri dopo, sulla destra, un edificio mi ha guardato, ha la sensazione di conoscermi. Mi conosce. È il casinò di Sanremo. Domani comincia il festival. Ho la stanchezza in tutti i pori, non entro. Quel che avevo da dire ai casinò, l'ho già detto in un'altra vita.

La nottata si fa agitata. Dormo male. L'armadio pendente incombe su di me come un Cristo corpulento con due pomelli di plastica al posto degli occhi. Brancolo in un brutto dormiveglia durante il quale la mente fluttua per i fatti suoi e dunque mi pongo domande che non vorrei pormi: Giò Di Tonno fa parte dei big o dei giovani? Solo la signora Rosaria potrebbe aiutarmi. Oppure: Zarrillo è un cognome vero o d'arte? In ciascuno dei due casi deve essere una gran fatica chiamarsi Zarrillo. È un nome da insetti tropicali.


Il giorno dopo è già aria di bolgia. La dignità dell'uomo presenta i suoi primi segni di cedimento. All'esterno dell'Ariston si sono asserragliati tutti, ma proprio tutti, i curiosi e gli esibizionisti in cerca di una telecamera qualsiasi che li immortali in una storia che non interessa a nessuno tranne che ai diretti interessati. C'è una nutrita pattuglia di sosia. Quello di Pavarotti, Liz Taylor che elargisce gesti regali che la vera Taylor in realtà non possedeva. La sosia della Taylor, taroccata com'è nella testa, ha l'aspetto esteriore della peggiore Liz alcolizzata e i modi di una cugina cafona della regina Elisabetta. Il tutto è guarnito da una cascata di paillette, un ombretto sugli occhi di un azzurro che non esiste in natura e un intero flacone di profumo cosparso sul corpo che anche un tabaccaio di paese si rifiuterebbe di vendere al pubblico.

Non manca un pagliaccio che, chissà perché, buca palloncini a un ritmo irregolare.

Era consuetudine dire che i pagliacci facevano tristezza, questo qui è semplicemente un deficiente. Molti quelli che urlano al di là delle transenne in cerca di una qualsiasi controfigura di vip. Dappertutto, impazienti, macchinette fotografiche digitali che, nella momentanea assenza di cantanti, immortalano il teatro Ariston che, a guardarlo bene, non è altro che un normalissimo, decoroso cinemino di provincia.

Inviati delle trasmissioni pomeridiane sono eccitati come se avessero assunto cucchiaiate di peyote.

Hanno lo stesso quoziente intellettivo della sosia di Liz Taylor, ma non lo sanno.

Al di là delle transenne, dove si può accedere solo se si possiede il più grande oggetto dei desideri del momento: il pass, fanno capolino i primi addetti al sottobosco, già afflitti da un paio di grammi di coca di qualità scadente. Ne incontro uno che conosco da sempre. Un traffichino antipatico e presuntuoso, romano, basso, dotato di pizzetto, mellifluo come un venditore di pentole, pronto a voltarti le spalle in punto di morte, disposto a farti qualsiasi complimento se sei in punta di successo. La sua presunzione è tale che ritiene di essere lui l'arbitro che stabilisce chi è in punta di successo e chi no. Si chiama Ettore Nettuno. Mi vede e dice:

"Ti posso far parlare con Loredana, se ti va. Lei ti stima. Non vuole vedere nessuno, ma se le parlo io a te ti vede".

Lo fisso nelle pupille dilatate dalla droga e gli dico:

"Vattene".

Non mi ha sentito. Ha una durata di attenzione pari a quella delle mosche. Non scavalca il mezzo secondo. Sputazzante per la bocca impastata, mi dice:

"Tony, ma lo sai che i medici mi hanno messo una placca di metallo in petto?".

"Te la meritavi," dico.

Questa volta ha sentito, ma pensa che stia scherzando. Si congeda a voce alta per far credere al popolo circostante che è uno che conta e urla:

"Allora fammi sapere se vuoi vedere Loredana".

Non gli rispondo.

Si allontana trafelatissimo, fingendo di avere un sacco di cose da fare.

Arriverà a sera e, terminata la cocaina, in un mezzo secondo di verità che lo attraverserà impietosamente, dirà a se stesso di essere un uomo inutile. Scaccerà questo pensiero con una forza inaudita. Una forza talmente imponente da riuscirci. Poi, si metterà in cerca di un altro grammo di polvere bianca. Per dimenticare i brutti pensieri.

Una soubrette di cui ignoro fortunatamente il nome è scivolata nel foyer del teatro alimentando una mitragliata inconsulta di scatti fotografici. A chiunque passi, chiede, sconfinando nell'imperativo categorico, una Coca-Cola light. Per lei, il mondo è un interminabile stuolo di camerieri al suo servizio. Il mondo ha ancora un senso quando registro con una letizia trascinante che nessuno si è piegato alla richiesta del cazzo. Solo il suo ufficio stampa, una trentenne in sovrappeso che dimostra il doppio degli anni, si sbatte come una dannata per procurarle la bibita. Anche lei, a palle ferme, nel cuore della notte, si domanderà:

"Ma cosa sto facendo?".

Tutto, tranne l'ufficio stampa, è la risposta.

Un tizio sulla sessantina, aria da vetusto playboy romagnolo, si accompagna con una ragazzetta di Bucarest scaltra come Kissinger. La progressione della relazione tra i due è un precipizio noto e prevedibile.

Lui, sicuro di sé, a lei:

"Tesoro, un minuto, faccio i pass per me e te e ce ne andiamo a mangiare".

Lei attende, ripetendosi internamente che possiede un fascino mostruoso e infinito. Si accende una sigaretta. Non guarda nessuno perché pensa che l'universo non sia degno di essere guardato da lei. L'universo, per lei, è poca cosa. Si annoierebbe anche se le apparisse tra le gambe un ufo. Figurarsi farla aspettare. Il romagnolo già rischia tantissimo. Lei, giunta in Italia da poche settimane, ha incontrato sul cammino solo i balordi che hanno furbamente evitato di dirle che la prorompenza della sua volgarità non corrisponde al fascino infinito.

Lui si lascia inghiottire in un ufficio pass che lo respinge all'esterno dopo una manciata di secondi. Approda dubbioso e assalito da una leggera ansia. Tuttavia comunica spavaldo alla ragazza:

"Ci vorrà qualcosa in più di un minuto".

Lui finge di telefonare a qualcuno d'importante.

Poi sibila luttuoso:

"Sta sempre occupato Alceste".

Lei non lo guarda e non risponde. Trova il tutto altamente riprovevole. È talmente trattenuta dal fare qualsiasi cosa che finisce addirittura per rivelare qualcosa di misterioso. Lui è in preda all'imbarazzo del silenzio. È evidente, sono settimane che copre i silenzi promettendole questi pass e adesso, nel momento cruciale, ci sono delle difficoltà. Non reggendo l'imbarazzo, si tuffa di nuovo nell'inferno che non lo vuole. Sfodera sorrisi alle hostess e agli steward credendo, in modo sbagliato, che chiunque, al momento buono, può aiutarlo.

Non lo aiuterà nessuno.

Ricompare all'esterno, incazzato. Afferra, con un fare da monolitico uomo sbrigativo, il braccio esile della ragazza e le dice:

"'Sti stronzi, non hanno capito con chi hanno a che fare, dai andiamo a mangiare, ci riproviamo più tardi".

Non ha avuto i pass. La ragazza però, ora, è scesa dall'altare della spocchia. Si guarda intorno. In un colpo d'occhio cerca di localizzare un nuovo, potenziale fidanzato in possesso degli amatissimi pass.


Una pubblicità, dal pulpito di un monitor, annuncia contenta:

"Perché Sanremo è Sanremo".

Non è vero.

Sanremo, non è più Sanremo. Quando ci venni io quarant'anni fa, in gara, esso era un appuntamento tra galantuomini. Ora sembra l'ultimo, triste giorno di uno di quei luna park in procinto di essere dismessi.

Passa Toto Cutugno con una giacca traslucida che induce chi ha idee destrorse a picchiarlo.

Tuttavia, è un'ovazione.

Passa Baudo e una signora di centotré anni, schiacciata dietro la transenna come una morta, elargisce a voce alta un pettegolezzo a chiunque si trovi in zona.

Dice:

"Lo sapete che Baudo è sordo?".

Ma la cosa non interessa. È veramente un pettegolezzo di seconda fascia, démodé.

Interessano solo le sciabolate di botox e gli intramontabili fidanzamenti osceni.


La sera comincia la gara. Ma quella è la cosa meno importante di tutte.

Camion, impalcature, addetti che corrono, stampelle con abiti da sera che sfrecciano nel tramonto come se si trattasse della vita o della morte. La diretta televisiva. Tutto uno sforzo gigantesco concepito per non lasciare nulla di significativo.


Un uomo con un dolcevita color carne e una spregiudicata giacca verde a coste larghe mangia al ristorante del casinò. Da solo. Infila i maccheroni in sé mentre giochicchia con le fiches di plastica. Non è neanche a conoscenza del fatto che in città è in corso il festival della canzone italiana. Appartiene a un mondo parallelo che nasce, prospera e muore esclusivamente all'interno del casinò. La moglie l'ha lasciato per non mettersi con nessuno. Questa cosa lo assilla in modo gravissimo e ha ragione. Non sa contro chi indirizzare il suo risentimento. Finisce per sfogarsi contro la roulette. Perde anche stasera. Gioca al massimo mille euro in due giorni. Mai un soldo di più. Riesce sempre a farseli bastare per un weekend. Una volta ha vinto sedicimila euro e la cosa non gli ha procurato nessun tipo di gioia. Per questa ragione, ha accarezzato l'idea di entrare in analisi. L'ha scartata poco dopo, l'idea. Non avrebbe saputo cosa dire all'analista già dalla seconda seduta. Lo sto guardando. Fa per ritirarsi. Lentamente, perché non ha niente da fare e ancora non ha sonno. Lo seguo. Punta il lungomare. Scende sulla spiaggia. Pensa che il mare gli piace più della piscina, anche se alla moglie, per renderla più allegra, aveva regalato una piccola piscina nella loro casa di campagna tra le brume dell'hinterland milanese. La moglie ha apprezzato per un poco, poi ha salutato. Ha solo detto che in questo modo non era contenta. Allora lui le ha proposto un qualsiasi altro modo. E lei ha detto che non c'è modo. Non ha avuto figli con lei e con nessun'altra donna. È solo. Ha una sorella più anziana che vede solo il giorno di Natale. La sorella ama parlare della loro infanzia trascorsa in un paese qualsiasi. Lui non ama ricordare questo genere di cose. La blocca. Proseguono il pranzo di Natale in silenzio. Le uniche parole sono:

"Ne vuoi un altro poco?".

"No grazie."

Poi si salutano e la sorella, sull'uscio, gli rivolge una formula antica che a lui piace molto.

Gli dice:

"Abbi cura di te stesso".

Lui ha uno stipendio molto buono e ha sempre avuto cura di se stesso, anche se non è servito a nulla. Fa il radiologo da anni. Ha paura di doversi amputare due dita a causa dei raggi. Questa cosa gli logora il cervello tutte le sere. Quando finalmente si addormenta, sogna se stesso senza dita ma con l'ex moglie nella poltrona a fianco che gli sorride. Allora si sveglia un po' risollevato. Si convince che due dita non sono niente di eccezionale, una moglie che ti sorride sì.

Nella costellazione degli alcolici, gli sono sempre piaciuti gli amari, il Fernet in particolare. In trattoria lo chiede sempre, ed è una piccola gioia che però non riesce più ad apprezzare da anni. Ogni fine settimana viene a Sanremo a giocare. La domenica sera, quando torna nella sua casa in campagna, vicino a Milano, è il momento peggiore. Un grumo di rabbia, impotenza e nostalgia sembra che lo afferri per le caviglie. Ha preso l'abitudine di lasciare tutte le luci accese il venerdì, quando va via. Ma è un escamotage di bassissima lega e già lo sapeva che non lo avrebbe aiutato a sconfiggere questo malessere. Per questa ragione, da un po' di tempo, tutte le volte che torna di domenica sera ha preso un'abitudine semplice. Apre un mobile e rompe uno dei tanti piatti che la moglie ha acquistato negli anni. La cameriera, il lunedì, raccoglie i cocci e non gli ha mai chiesto il motivo per il quale trova puntualmente un piatto rotto. Lui apprezza a dismisura questo atteggiamento discreto della donna delle pulizie. Per questa ragione, quando la paga, le dà sempre un po' di più del dovuto. Non è un bell'uomo e lo sa. Assomiglia vagamente a Maurizio Costanzo. Ma non ha i baffi ed è leggermente più magro.

Non sa più nulla della moglie. Di tanto in tanto si trastulla con l'idea di pedinarla, ma ha paura di scoprire che lei conduca una vita semplicemente uguale a quella precedente, ma senza di lui. Questa prospettiva potrebbe farlo morire per davvero, per questo evita il contatto con lei. Qualche volta va al cinema da solo. Vede esclusivamente film divertenti. Ma non si diverte mai. Non si sogna neanche lontanamente di imputare la responsabilità del mancato divertimento al film. Si attribuisce sempre la colpa.

"Non so divertirmi," si ripete con lieve ossessività. Questo fatto lo porta a mettere in collegamento diretto l'incapacità di ridere con la sua cronica assenza di amici. Ha sempre pensato che gli bastava sua moglie e dunque che non aveva bisogno degli amici. Quando il matrimonio è felice, diceva, gli amici sono un orpello.

Ama gli abiti di velluto. Odia la cravatta perché ha un collo infelice. Se fosse meno timido, non esiterebbe a portare in pubblico un cappello con le falde. L'idea del Borsalino gli procura una ebbrezza che lui chiama in modo impreciso mondanità. Qualche tempo fa, ha trovato un compromesso acquistando una coppola. L'ha indossata solo una volta e poi l'ha lasciata cadere in un cassetto. La coppola, non era quello che davvero desiderava.

In fin dei conti, si sorprende a pensare spesso, il momento più vertiginoso di questa sua nuova vita è quando va dal barbiere. Si fa lavare quella misera corolla di capelli sulla parte posteriore della testa, ma le mani di un estraneo combinate con l'acqua calda sul cranio gli regalano un piccolo, doveroso sussulto.

Ha perso il padre molto giovane. Di lui ricorda solo che somigliava in maniera precisa a Gian, quello della coppia comica Ric e Gian. Sebbene la sorella e la moglie gli abbiano sempre detto che non è vero. Ma anche dinanzi alla prova delle fotografie lui, ostinatamente, ripeteva che suo padre (ma come fate a non vedere!), era uguale a Gian.

Fra tre giorni riceverà una lettera dalla moglie. Un fatto incredibile e inaspettato. Senza nessun trasporto emotivo, la moglie gli rivelerà finalmente il motivo per cui lo ha lasciato: avrebbe voluto avere insieme a lui degli amici, qualcuno da invitare a cena o col quale fare una vacanza, anziché fare tutto loro due soli.

A quel punto lui si ricorderà che ha avuto un amico moltissimi anni fa: un ragazzo logorroico e talmente innamorato di se stesso da accettare come amico finanche uno silente e apatico come lui. Quest'uomo era un calciatore semiprofessionista di serie C che si chiamava Sergio.

Istintivamente, penserà di chiamarlo. Non lo vede da trent'anni ma, soprattutto, non si ricorda il cognome. Trascorrerà i successivi dieci anni a cercare di rintracciare questo fantomatico Sergio. Se riallaccia i rapporti, penserà, con effetto domino, potrà tornare, fiero e orgoglioso, dalla moglie, presentandogli finalmente un amico. Magari questo Sergio ha anche una moglie e allora ecco affiorare una pianificazione immaginaria di cenette e vacanze e la moglie di nuovo seduta vicino a lui con quel bel sorriso caldo e gli occhi puntati sulle sue mani prive di due dita.

Ma il nostro amico col dolcevita color carne non ritroverà mai più questo Sergio. Andrà a chiedere anche alla Lega Calcio. Quelli gli apriranno gli archivi, ma niente. Concluderà che, forse, quel Sergio millantava la sua militanza nel campionato di calcio di serie C.

Insomma, col senno di poi, un altro impostore nella sua biografia.

Non risponderà mai alla lettera della moglie.

Gli amputeranno per davvero, in un bellissimo giorno di maggio, due dita.

Vivrà, incredibilmente, fino a centosei anni.

"Una condanna indicibile," dirà in punto di morte a quella stessa cameriera che non gli ha mai chiesto il perché dei piatti rotti.


Per adesso, però, è sulla spiaggia di Sanremo. Guarda il mare nero senza odore. Non è tipo da contemplazioni poetiche e solitarie dinanzi al mare, per cui si volta, vede un chiosco sul lungomare che vende hot dog e vi si avvia con una sorprendente baldanza. Compra un hot dog e lo mangia con gusto perché mi sono dimenticato di dire che gli è sempre piaciuta l'atmosfera della Germania e, tutto sommato, gli sarebbe tanto piaciuto vivere a Monaco o a Colonia.

Per quale ragione gli piace la Germania, non è in grado di dirlo.

# 11.

## Maurizio Ricci

> I bambini devono sempre vedere i loro amici. Questo mi lascia secco.
>
> J.D. SALINGER, *Il giovane Holden*

La vita, si frattura.

Apre le crepe.

Ci guardi dentro e c'è solo il passato.

Un viavai di sfaldamenti, ma io certe parole innominabili non le nominerò mai.

Perché nella giungla della volgarità, sorprendentemente, io sono il meno volgare di tutti.

Per il resto, nell'odierno, è tutto uno *gne gne* insopportabile.

Cascate di ovvietà adoperate a mo' di rivelazioni, senza ritegno, strombettate dai pulpiti dei divani come verità sante.

Il ridicolo si fa monumento.

La sensazione prossima a quelle che hanno la purezza dei migliori diamanti: l'autenticità ci è appartenuta perché appartenevamo al mondo di partenza. Il primo che conosci.

Dal secondo in poi, ti corrompi. Tu non fai niente per farti traviare, metti solo il piede nell'età adulta e questo gesto, apparentemente naturale, inevitabile, ti corrompe. Ti conduce nello strapiombo del chiacchiericcio. Dell'inascoltato. Le frasi te le porgono tronche o imprecise. La frattura dell'incanto. Perché nel secondo hai un ruolo, una sovrastrutturazione dell'io che annacqua tutto. Un sé da difendere. Tutta una baldanza al servizio dell'esternazione del curriculum vitae. Prima, il sé lo si lasciava andare. Lo si rilasciava, aspettando che fluttuasse come gli astronauti vaganti nella navicella in assenza di gravità. Quanto ci servirebbe, l'assenza della gravità, parlo di quella che si affolla nella mente e nel comportamento.

Da grandi, si è sempre in contrapposizione. Da giovani, si crede di essere in conflitto, mentre, inconsapevolmente, si stanno sfiorando gli approdi definitivi che, uno a uno, i fanatici della responsabilità ci faranno disancorare con la brutalità inutile dell'esperienza.

L'ansia da prestazione del secondo mondo rende il tutto appiccicoso come quando sbarchi dalla scaletta dell'aereo a Bangkok. L'afa opprimente del tropicale.

Nel primo mondo, quello della gioventù, l'unico ruolo che ti compete è essere giovane. E autentico.

Tutto questo discorso non ha nulla a che vedere con la felicità e l'infelicità. Niente equivoci. Niente ricette da manualistica vogliosa di accumuli di monete d'oro. Né rammarico, né nostalgia. Né meglio, né peggio. È solo una questione di come si sta al mondo.

Da ragazzi ci siamo abbandonati all'autenticità. E anche la ricerca del plateale, la recita della bellezza, tutte cose che ci sembravano sbruffonate di turno, erano solo girandole dell'autentico. Abbiamo scoperto soltanto più tardi le carie della platealità stantia e corrotta; la molle, friabile recitazione dell'eterno ritorno. Riabilitando, così, con le lacrime agli occhi, tutto quello che ha avuto a che fare con l'essere ragazzi. La forza della gioventù non sta nella sua sanità, e nemmeno nei crismi della mitologia della spensieratezza. Anzi, se c'è un'età che è insana e priva di spensieratezza, quella è proprio la gioventù. La forza della gioventù sta nella sua scandalosa, denudata verità, nella bellezza di una verità che non poteva essere altrimenti, dal momento che era l'unico mondo possibile.

La forza della gioventù, purtroppo, sta nella sua vulnerabilità. L'età giovane possiede escandescenze di quiete. L'età adulta s'impiglia esclusivamente nel ritmo morto delle escandescenze tout court.

Quest'è. Ancora una volta, non sono stato in grado di essere semplice.

Allora ci riprovo. Questo, da adesso, è il mio sforzo di semplicità. Per rendere terso, ciò che sopra appare opaco, nervoso, risentito. La zoppicante scalata del costrutto, prima.

Da adesso, la limpidezza degli uomini. Dell'uomo. Del mio amico e fratello Maurizio.


Maurizio ha una bocca piena di diastemi. Sono spazi tra un dente e l'altro. Un dente è tenuto con un antico ferretto ben visibile. È, quel che si direbbe secondo i canoni, una bocca non bella.

Ma ecco il primo colpo di scena di Dio.

Quando Maurizio ride, gli uomini si sentono suoi amici, le donne si sentono attratte. Certi sorrisi fanno accomodare morbidamente in poltrona le insicurezze. Tutti in combutta, gioiamo della sua risata. Del suo mostrarci una bocca che si fa bella. Maurizio ha una risata che è un inno alla vita.

E tutti ci ricordiamo di lui.

Perché siamo tutti pronti a rubare e a cercare nel mondo gli inni alla vita.

Inoltre, la sua risata non smette di segnalarci la sua timidezza. La forza della timidezza. Smuove le montagne, crea i rapporti. E determina. Sì, determina. La timidezza determina il carisma.

Gli sbruffoni terminano la loro camminata all'inizio del corridoio.

I timidi procedono fino all'ultima stanza da letto e dentro hanno il merito di trovarci le belle tende e l'amore tenue. Maurizio conosce le tende e l'amore. E non ha paura a rivelartelo. È andato addirittura oltre, ha sbirciato le linee misteriose dipinte dall'abat-jour sul comodino.

I neon, ai veri falliti.

Non è geloso della sua inaudita, stravagante bellezza. La sparge. La regala. La confonde con l'amicizia. Ecco. Maurizio non dispone distinzioni tra l'amore e l'amicizia. Essi sono la stessa cosa. Se vogliono, possono scambiarsi i ruoli, ma lui non si altera, perché non riconosce i sintomi di questo scambio. A tutti regala una risata. Non si diverte a stare solo. Perché stando solo non riesce a regalare. E questa è una sofferenza, per lui.


Nei luoghi senza nome, fa amicizia con i più vecchi. Li pettina. Li guarda mentre loro sono perduti nell'ombra dei mondi dimenticati. I morenti occupati a osservare i battiscopa, lui li va a scovare uno a uno. Cerca sempre il padre. Tutti cerchiamo sempre il padre. La solitudine è un maiale frustrato perché non riesce a ingrassare. Con quei vecchi ci chiacchiera con intermittenze di alto teatro. Sceglie tempi inarrivabili e sorprendenti. Più la chiacchiera è spettinata, frammentata, accennata, più vi trova significati di una vita che non porta da nessuna parte perché sa che la vita non porta da nessuna parte. Contano solo i bagni a mare che ci siamo fatti, i gol che ci hanno fatto vedere quelli bravi, le ragazze frivole per finta e belle per davvero che volevano i passaggi sulle Vespe 50, e poi la forma suprema di gioia: le risate con gli amici.

La dimostrazione dell'amore e dell'amicizia passa solo attraverso la ricerca delle parole fugaci, sguinzagliate in scioltezza, che consentono l'accesso alla risata complice.

La complicità disinvolta è il pilastro dell'amicizia. Il fondamento della gioia. Maurizio è il maestro della creazione di una complicità vergine, nivea, fine a se stessa, ridiamo sul muretto e lasciamo le nevrosi a tutti gli altri perché per loro non c'è spazio e ce lo dice. È consentito essere nervosi solo se questo nervosismo trascende nella risata, altrimenti sei espulso, ti senti a disagio, te ne devi andare, non puoi stare vicino al muretto e agli alberi con le arance che non erano mai buone da mangiare.

Quello che è sorprendente, è dentro.

Uomini folcloristici e malvagi vengono elevati da Maurizio al rango di migliori amici.

Uomini folcloristici e prototipi di bontà, idem.

Le differenze sostano altrove. Nella capacità di creare una gioiosa rilassatezza. Altrimenti, non hai bisogno di noi. In caso contrario, sei fuori dal giro.

La malvagità lui la placa con una pacca sulla spalla. La bontà la prende per scontata.

Sono mondi di un'altra galassia. Perfetta, lucida, smaltata come la bellezza degli anni che non ci sono più. Io l'ho intravista assieme a lui questa galassia smaltata.

Dopo, lontano dalla condivisione della gioventù con lui, ho visto solo livore terra terra, le sgomitate goffe e cadaveriche. Benvenuti nell'età successiva. Dove si perde di vista tutto ciò per cui vale la pena vivere. Ti viene raccontato che devi fare qualcosa della tua vita. E lì inizia il calvario. Per giustificare, dare un senso a questa lunga Via Crucis, comincia una sterminata, frenetica produzione intellettuale che potrebbe terminare sotto il grande titolo di *Alibi*.

Maurizio ha sempre saputo ciò per cui vale la pena vivere. Senza grandi discorsi. Senza teorie del cazzo. Un fiuto animalesco che si affaccia sulla cascata più alta della bellezza e della tranquillità. Siamo tutti in difficoltà. Lui no.


Ha visto alberi, la Turchia e le acque cristalline. Si è adagiato a cambiare la ruota della gomma bucata. Mi ha portato a duecento all'ora a vedere com'era fatta la morte degli altri che cambia per sempre la vita degli altri ancora e mi è stato vicino. Con la disinvoltura del padre che non è ancora padre. C'era e questo è bastato. In un silenzio concentrato, mi ha abbracciato e baciato.

È sempre stato un uomo. Era un ragazzo e per me è sempre stato un uomo.

Ha catturato due pappagalli a casa mia che erano scappati dalla gabbia e che a me mettevano una paura da ammutolire. Lui li catturava e rideva. E non si poteva non ridere. Era vietato. Si doveva, perché non c'era nient'altro da fare.

È stata proprio una bella vita, anche se si issavano dappertutto, attorno, bandiere di dolore e suonavano allarmi di disfatta.

La vita si frattura.

Gli uomini si sfaldano all'ombra dei portoni.

Tutta una storia di portoni, di muretti e di garage. E sortite improvvise. Come blitz d'amore.

Una passamaneria di sentimenti dolci.

Ogni tanto una rissa, giusto per fare un po' di sport. E per tenere vivo il racconto. La rissa non andava mai disgiunta da un risvolto comico, altrimenti non valeva la pena starne a parlare.

Chi vince e chi perde, è irrilevante. Conta solo se abbiamo trovato lo spazio giusto e spontaneo di quattro risate.

Quando è arrivata l'età adulta, tutto è diventato stonato, smorto, inadeguato ai principi per i quali si era venuti al mondo. Non eravamo attrezzati per la mancanza di serenità. Ridere e guardare la bellezza, e se le due cose potevano coincidere, allora si finiva nello schedario immaginario delle giornate indimenticabili. Solo queste, erano le nostre incalcolabili capacità.

Storditi dalla troppa vita, non ci siamo dimenticati niente.

Ci siamo solo spenti alle pendici di un obbligo della sopravvivenza.

Pronti, via, è cominciato il blackout dello star bene. Il contatore della gioventù non ha retto. I tecnici se ne sono andati in pensione. E noi non siamo in grado di fare nulla che richieda una scolarizzazione.

Abbiamo solo riso meglio di tutti. Gli altri non sapevano ridere così bene. Questa è la verità.

Siamo stati meglio di voi perché abbiamo riso meglio e più di voi, ma soprattutto abbiamo riso di ciò che non fa ridere. L'inconsistente.

Fieri dell'inconsistenza, ci siamo trovati.


Chi non ha voluto una carriera, si attacca all'unica che ha avuto, quella di ragazzo.

Quelli che l'hanno voluta, la carriera, hanno spostato il baricentro della gioia e non l'hanno più trovata. Credevano che i complimenti allietassero e invece quelli ti allontanavano solamente, per accumulo, da quello che sei stato un tempo.

Siamo stati un candore. Siamo stati uomini senza scopo. Siamo stati la vita che si lascia vivere. I famosi ragazzi senza pensieri. Quando ci siamo posti seriamente la domanda: che fare? Ecco che abbiamo firmato il contratto con la fine di ciò che valeva la pena essere. Abbiamo aperto la strada a ciò che è sbiadito, denso di niente, al farfugliamento dell'essere.

Sembravano miraggi raggiungibili, alla portata della nostra orgogliosa mediocrità, invece erano fondali di cartapesta del peggior avanspettacolo.

Provare a diventare intelligenti è una fatica tanto inutile quanto artefatta.


Io sono. E ci si dimentica cosa.

Le vite fatte di poco. Le automobili sempre di seconda mano. Grandi, rare, nessuno le voleva, se le prendeva tutte lui, Maurizio. Consumavano l'ira di dio. Ma erano bellissime. Rumorose e inconcludenti, come siamo brillantemente e inutilmente stati. L'inutilità come grandissimo vanto. Un baluardo inespugnabile finché non ci hanno messo in mano il finto mondo spacciandocelo per vero. Questo è il guaio. Questa è l'inaudita, vergognosa vigliaccata. Farsi adulti.

E morire di colpo, continuando a passeggiare di domenica.


Certi amici incredibili, che spuntavano dagli angoli dimenticati della città, Maurizio li issava su altari di accoglienza. Strampalati, come certi inarrivabili caratteristi delle commedie all'italiana, lui li adottava come fratelli minori. Li ripuliva dalla tristezza congenita. Estraeva dalla loro profondità orge di tenerezza e ilarità. Fino a un attimo prima abbandonati, questi esseri umani gonfi di un'umanità sbilenca e traboccante, scoprivano, increduli ma sinceri, di aver trovato, senza impegno, senza solidarietà, senza le sconcezze compassionevoli del volontariato che sarebbe arrivato anni dopo, semplicemente un amico. Nessun eroismo all'ombra dei garage. Gli eroi erano baracconi da prendere in giro. Da abbassare immediatamente alla goffaggine del bidet. Erano e sono accettabili, per noi, solo minime sproporzioni. Ha fatto eccezione solo ed esclusivamente, per tutti, Diego Armando. In funzione di questo tasso di unicità è stato coerentemente avvicinato a Dio.


Le ragazze perdute per lui, me le ricordo. Belle e sconvolgenti. Pronte alla guerra. Lui le accettava, senza sforzo e senza vanterie. Non si sa mai, sembrava dire, potrebbero sempre farmi ridere da un momento all'altro. Questa, l'essenza del rapporto. Abbiamo teso centinaia di agguati, tutti architettati dentro una comicità da dilettanti. Nient'altro, poiché professionismo e narcisismo coincidono. Sono degenerazioni dell'animo umano. Aberrazioni per chi ha riflettuto. Non noi.

La vita concepita come un imbuto. Nella parte di sopra c'è spazio per tutto. Ma proprio tutto. Questo tutto però quando scende ed esce dalla parte sottostante dell'imbuto deve diventare una cosa sola: risata.

Dobbiamo ridere, senza forzature, nella grande tomba del relax.

Questo ci ha detto sempre, Maurizio.

E per ridere dobbiamo rimanere uniti. Amici e vicini. Solidali e inattaccabili. E se litighiamo è solo perché poi dopo, distesi al sole, possiamo rappacificarci ed essere più amici di prima. Il litigio era solo la prova generale di ciò che ci saremmo persi più tardi, quando avremmo finito per concedere infinite repliche dello spettacolino.

Per questa ragione finivamo in estasi in quei rarissimi momenti in cui i nostri padri adulti abdicavano alla loro corruzione e scendevano sul nostro campo. Era una gioia indicibile sorprendersi a vedere uno dei nostri padri cazzeggiare con noi o giocare una partitella di pallone senza porte. Aleggiava una gioia e una commozione. Erano altri tempi. In prevalenza, i padri facevano i padri burberi. Giustamente, guerreggiavano con la loro eterna disfatta. Intercettarli nei loro rari momenti di distrazione sembrava il punto di sintesi tra il miracolo e la promessa di rivoluzione.

Certa gente fa a cazzotti con la cultura, per esempio, dimenticandosi che essa, la cultura, ha uno scopo finale assolutamente preciso: rendere l'uomo ilare, nella maniera più sfaccettata possibile, ma ilare. Credetemi, non c'è assolutamente altro, dietro. Le altre sensazioni sono fango e surrogati.

Tutto il resto è finto. Ed è volgare.

Questo è volgare, ciò che non fa ridere in maniera disinvolta.

La risata estemporanea è uno scatto nel benessere. Maurizio ci ha regalato centinaia di questi scatti.

Vogliamo migliorare il mondo, creare più equità, si anela a che tutti stiano bene e non muoiano di fame negli angoli della sconcezza. Va bene. Ma perché? Perché una volta che hanno mangiato, tutti possano avere la possibilità di ridere. Il comunismo è una grossa risata collettiva. Tutti insieme. Per sempre ragazzi.

Fatto questo, si può dire di aver vissuto senza sforzi.


Lasciateci perdere ai chioschi, ai bar, appoggiati ai pali, seduti sui cofani delle macchine. Sapremo allora, con grandissima diligenza, disoccupare la vita in tutte le sue smerigliatissime sfumature.

Il resto, è un'organizzazione reticolare di imbarazzi. Che non divertono.

Quando l'essere umano decide di scendere sul terreno del *chi sono io e chi sei tu* sta firmando la sua condanna a morte. Il ruolo determina l'ansia, l'angoscia, le domande senza risposta, le depressioni. Tutta un'associazione a delinquere che ti allontana dal muretto, dal portone e dal garage.

Eh sì, volevamo fare nuove esperienze e ci siamo ritrovati feretri e adulti. L'endiadi del progresso è la stessa del regresso.


Le madri che ci chiamavano dai balconi, purtroppo non ci sono più. Urlavano e cambiavano di tono. Si facevano incazzate in progressione, man mano che dall'altra parte si stendeva una coltre di silenzio sospetto. S'incazzavano perché il calore del pranzo rischiava di disperdersi.

Poi, l'idea del piatto sopra il piatto. Rovesciato. Le goccioline di condensa. Che ricordi imponenti. Le madri.

Volevamo solo giocare a pallone un altro po', per questo non rispondevamo alle loro chiamate.

Il dubbio del gol, perché non c'erano le porte.

Solo pali e traverse immaginarie, dell'altezza della gioventù.

Dove siete andate? Perché avete smesso di chiamarci? Eravate le sentinelle della nostra dispersione. Quella che garantiva la serenità. Ci avete messo, di colpo, nell'altro mondo, ma non eravamo e non saremo mai pronti a essere quelli che chiamano, anziché essere chiamati.

È stato davvero tutto molto bello anche quando non lo era, questo è il punto di massima profondità della faccenda e non ce lo meritavamo questo tradimento ordito da nessuno.

È ovvio, quando tutti complottano, nessuno complotta.


È la vigilia di Natale. La città è calmissima. Anche le macchine non passano. L'ultimo sole sbatte contro la facciata di un palazzo chiuso per ferie. C'è solo la campana di una chiesa. Io sono a casa. E sono avvilito. Finora, ho elaborato sempre con l'intelletto, con una sorta di difensiva lucidità, quella frattura di ciò che si è stati. Ora, quello squarcio scomposto mi assale negli scoli dell'emotività. Fluttua in antri che non conosco. Si fa cattiva, la frattura. Avvolge, ma non riscalda. Ho paura.

Ho paura di dovermi porre certe domande che hanno a che fare col senso, verso le quali non troverò mai risposta. Solamente dispiacere. Ecco, sono dispiaciuto. Una condizione che, in una scala di valori rovesciata, a sorpresa, si fa più accecante, spregiudicata e pericolosa del semplice dolore.

Non sono addolorato. Sono dispiaciuto. E questo mi sembra immane, più grande e spavaldo del dolore. Sono finite molte cose. Sono finite troppe cose. E la rassegnazione, diciamocelo, non è il nostro forte. Mia madre lo diceva sempre alla commarella di turno che attraversava il momento difficile.

Le diceva:

"Rassegnati Mari'".

Si chiamavano tutte Maria, le commarelle. Solo quelle rare e intelligenti avevano il privilegio di chiamarsi Titina.

E quelle ci credevano. Attaccavano la cornetta e speculavano come scienziate sul concetto di rassegnazione. Guardando dietro la finestra, trovavano case poco distanti. L'umidità stabilita dalla speculazione edilizia. Anfratti bui e gelidi sfondati da lampadine fioche, popolati da pattine sormontate da vecchie rachitiche, dalle nocche sulle mani grosse come noci. Le guance scavate come tumuli. Le dita bianche e mosce come la ricotta. Le bocche ravvivate da lievi sciabolate scolpite di rossetti da bancarella. Ravviarsi i capelli stinti, una deformazione dell'ambizione sociale. Un tic. Gli uomini col pettine in tasca. Tutto, ma non strisciate con i piedi, diceva mio padre. Una cosa che gli dava fastidio più di una colica renale. C'era, ai suoi occhi, addirittura qualcosa di chic nel sollevare i piedi.

Ed era come aver dichiarato guerra a tutto il mondo, per lui.

Nella giungla di cavoletti di Bruxelles, la vita si faceva vicoletto.

E odore e puzza si univano in matrimonio, diventando una cosa sola, come voleva il prete.


La rassegnazione, si diceva. Purtroppo, noi siamo stati fatti di un'altra maniera. Abbiamo solo saputo ridere sulla rassegnazione. Umiliarla. E questa adesso ci trapassa da dietro. Ci voltiamo e quella roba non riusciamo a guardarla. Sta sempre dietro. Inafferrabile. Sconosciuta. Abbiamo riso troppo, questo ci faceva sembrare invincibili. La sensazione di essere invincibili senza combattere e senza bisogno di ritirare alcun premio. Che meraviglia! È difficile rassegnarsi a dover non ridere più con quell'impeto naturale col quale abbiamo riso da ragazzi. È inconcepibile, il mistero della rassegnazione. E ci fa sbarcare imbambolati su zolle di silenzio. Tutto questo ci fa svegliare con quei leggeri malesseri della mattina. Alle cene e nei supermercati, per strada e sulle sdraio, ci rende stanchi. Deboli d'animo.

Ci rende cattivi. Aggrediamo il prossimo in tutte le sue debolezze per la semplice ragione che non riesce a farci ridere come ci facevi ridere tu, Maurizio. Senza sforzo. Indipendentemente dalla cosa detta per suscitare un eterno, stabile buonumore. Non si rideva di una battuta o di una situazione. Si rideva per appartenenza. Si rideva per come eravamo disposti lungo il muretto. Eravamo armonici. E l'armonia può far ridere, rendere unici. Si rideva perché le cose ci sono apparse immutabili, eterne, indefinitamente belle.

E invece non è andata così. Tutto si è disperso e incagliato in una tonnellata di contrattempi. Sconfitti dalla quotidianità indotta. La nave non è salpata più. Addio vacanza, la vita si è messa a lavorare. Dove sono finiti i ragazzi di via San Domenico? Sono tutti morti. Provano a rianimarsi da qualche parte. Dentro i corridoi bianchi. Come fantasmi disfatti. Neanche il lenzuolino bianco con i buchi ci hanno lasciato. Sono tutti morti. Siamo tutti morti.

E stanchi.

# 12.

## Maurizio Costanzo

La nostalgia non è più quella d'un tempo.

SIMONE SIGNORET

Poi, tutto d'un tratto, per coglierlo di sorpresa, gli ho detto: "E la vecchiaia?".
E lui ha sibilato ai confini dell'asettico:
"Io non do spago alla vecchiaia".
Stabilendo un concetto, per un miserabile come me, del tutto potente e inconsueto: se non dai confidenza alle cose, le cose ci sono pure, ma almeno puoi evitare di farti sopraffare. Fare finta che esse non ci siano veramente. Per lasciarsi andare, bisogna sempre tenere bene a mente la strada per tornare indietro, o per smarcarsi. Non si sa mai. È ciò che si potrebbe definire intelligenza. Un misto implacabile di astuzia e di talento per la vita.
Si sono infiocchettate biografie felici e spensierate a forza di fare finta. Ci vuole una tempra inaudita. La forza dei mastini. Affrontare la finzione richiede lo stesso sovrumano sforzo che si pone nell'affrontare la verità. Questo, lo capiscono in pochi. Il mio amico è tra questi.
Ci sono alcuni, al mondo, che si piantano con i mocassini al suolo come i pali nell'asfalto e guardano lo srotolarsi della vita come a uno spettacolo che anche quando si è fatto moscio, volgare e ripetitivo ha pur sempre, in qualche angolo inedito, una possibilità di sorpresa. Risicata, ma possibile. Una speranza laica.

C'è sempre un poro, un interstizio, suppongono questi uomini, nel quale può allignare la cellula dello sbalordimento.

Questa supposizione li tiene giustamente, e allegramente in vita. È un'intuizione che decompone i dolori, rendendoli melma sottostante alla quale, questi uomini, hanno deciso di non appartenere.

Le generazioni che hanno imparato a pulirsi le scarpe, finiscono per non sporcarle mai.

"Non abbiamo ancora finito di ridere," sembrano dire questi uomini, anche quando non ridono da molto tempo. Il mio amico, presumo, appartiene al mondo di questi uomini solidi e curiosi delle esistenze, degli aneddoti, delle risate.

Attende di essere sorpreso, anche se, suo malgrado, è divenuto alle volte lui stesso oggetto di sorpresa.

Attende di essere stupito, anche se, avendo accumulato elevate torri di esperienza ed essendo dotato d'intelligenza rapida e fulminante, riesce solo raramente a rintracciare i presupposti della sorpresa. Però, il talento continua a sconcertarlo. Anche perché, probabilmente, è arrivato in fondo al viale dove c'è scritto che il talento, in un modo o nell'altro, diverte.

E questo, non è affatto poco.

Il mio amico si chiama Maurizio Costanzo.

Solamente col *Maurizio Costanzo Show* ha intervistato la bellezza di 32.300 persone. Una cifra da emicrania a grappolo.

Per questa ragione, ogni volta che vado a trovarlo, anche adesso, all'alba di una primavera romana che promette di essere antica e bellissima, per me è motivo di spasso e soddisfazione, intervistarlo.

Maurizio Costanzo è un ammiratore degli altri e, in fondo alle cose, secondo me, non gioisce più di tanto quando diventa lui stesso oggetto d'ammirazione. In quelle circostanze possiede massicce, sacrosante autodifese. La più possente di tutte si chiama autoironia. Infila battute icastiche e disarma l'adulatore. Non gli interessa, l'adulatore. Gli fa perdere tempo. E poi Costanzo è un uomo che si basta. Può aver bisogno dell'applauso che stabilisce dei valori, ma mai della claque destinata a contraffarli, i valori. Scova il ridicolo ancor prima che esso sia stato partorito.

Maurizio Costanzo sa riconoscere i nomi delle cose. Una qualità che si è smarrita all'alba di un'improvvisa inondazione di distrazioni e di pigrizie. Lui, invece, anche quando si rilassa o si diverte, rimane concentrato. Ancora una volta, si chiama talento per la vita.

Lui, ce l'ha.


Negli anni, la gente si è appassionata a certi avvenimenti della vita di Maurizio Costanzo che a me, invece, francamente, non hanno mai incuriosito più di tanto. I rapporti con la loggia P2, un certo numero di mogli famose, la presunta concentrazione di potere che quest'uomo avrebbe detenuto, più un numero indefinito di pettegolezzi ai limiti della leggenda metropolitana. La gente ci ha sbattuto la testa fino all'insonnia appresso a queste faccende. Io invece non ho mai smesso di appassionarmi a una cosa che ha detto una volta:

"L'unica cosa che mi ha sempre interessato, sia che fosse reale, sia che fosse oggetto di rappresentazione scenica, è la commedia della vita".

Ove mai fosse vero che ha frequentato Gelli, si deve anche dire, per amore della verità, che ha frequentato Balzac. E tra i due, credetemi, è meglio concentrarsi su quest'ultimo.

Tra il materassaio che trama e il decodificatore della natura umana, la scelta non dovrebbe essere difficile e invece le folle si accaniscono, come ossesse indemoniate, sulle malefatte. Oppure sugli atti estremi, mirabolanti, apparentemente taumaturgici, di bontà. Tutti vampiri dell'omicida o di madre Teresa di Calcutta. Uno strazio. Si dimenticano, perché erroneamente lo ritengono di scarso interesse, della via intermedia. Abdicano la *nuance*, perché questa richiede un'interpretazione sfaccettata, certosina, da giocatore di Shanghai. Questo, li rende impazienti. E l'impazienza li rende cattivi. Morbosi a mezzo servizio. La gente si accoccola sotto gli scoli della merda o del paradiso, annullando in ultima analisi la sostanziale differenza che corre tra le due cose.

Il lungo lavoro di Maurizio Costanzo, invece, a mio parere, è preziosissimo proprio perché non ha mai smesso di ricordarci che dentro certe folli moderazioni si annidava, nitida e complessa, la bellezza. E le sue molteplici declinazioni.

I suoi omaggi a Umberto Bindi, a Elio Pandolfi, a Giovanni Falcone. Un grande, sacrosanto, avvolgente, meraviglioso elogio di persone sprovvedute del guizzo a effetto. Figure memorabili attraversate da un'autenticità quasi ingenua e una delicatezza commovente, che Costanzo tirava fuori come un mago esperto.

Perché li riconosceva. Estraeva, da queste umanità ricche, doti che si sono scontrate contro la fine del secolo. Come la mansuetudine, la riconoscenza, la calma di una battuta da sorriso, la rimozione della sguaiataggine, la cortesia, finanche la galanteria sfrontata, ma pur sempre galante.

Intervistò Paola Borboni a proposito del suo primo, celebre nudo teatrale e lei disse:

"Avevo delle proposte, non dei cocomeri".

Questa, si chiama grande letteratura.


Maurizio Costanzo è stato un precursore, pacato e senza fronzoli, del mezzo televisivo.

Purtroppo, come tutti i precursori, si è poi ritrovato spesso emuli pasticcioni, prosecutori ignorantissimi e discepoli caciaroni che hanno mandato alla malora in un minuto le sue intuizioni. Ha dato a migliaia di persone, per la prima volta in Italia, quei quindici minuti di popolarità, quando il diluvio di nullafacenti di borgata mentale ancora non era piovuto. Molti hanno lasciato al palo quell'opportunità. Le telecamere potevano gonfiare in modo sproporzionato l'ego di taluni, allora lui a stento rivolgeva loro la parola.

"Odiavo i presuntuosi che venivano al *Costanzo Show*," mi dice, e quelli, in un baleno, si ritrovavano metaforicamente alla porta, con niente in mano, solo fasci di frustrazione e un'impotenza che chissà che fine gli ha fatto fare. I furbacchioni o i talentuosi, che spesso c'erano, hanno capitalizzato i quindici minuti e ci hanno imbastito le carriere. Molti erano comici. La simbiosi di Costanzo con la risata è totale. E l'apice del riso però, per paradosso, si raggiunse con uno che non faceva il comico. Una memorabile, studiata, vivisezionata puntata con Carmelo Bene che disprezzava tutto e chiunque. Fingeva di aggredire il mondo, mentre ribadiva la sua tenera grandezza e un assordante humour nichilista. Irriverente, diabolico e magmatico, Carmelo Bene massacrò chiunque meno uno: Maurizio Costanzo. Gli stava irrimediabilmente simpatico. Andrebbe rivista e nuovamente trasmessa quella puntata epocale; una lezione di molte, troppe cose, oltre che di tv, col genio che dice di sé di essere un genio ed era vero. Costanzo inventò quella formula dell'*uno contro tutti* e diede una forma di verità nel regno della finzione alla parola spregiudicatezza.

Dopo di lui, questa parola sarebbe diventata solo un'occasione scosciata per annoiare in eguale misura i benpensanti e i malpensanti.

Per inciso, a un tratto, Carmelo Bene disse, riferendosi in ultima analisi gioiosamente a se stesso: "Puoi parlare quanto vuoi di Dio, ma il problema è che non puoi parlarne con Dio".

E infatti, non parlò con nessuno. Monologò per ore fingendo di occuparsi degli altri, della loro miseria, della loro inadeguatezza. E della sua. Ma fingeva. Riconoscere miseria e inadeguatezza negli altri avrebbe voluto dire, appunto, "riconoscerli" e invece Carmelo Bene, in quell'occasione, ammise alla tavola dell'esistenza solo due persone: se stesso e Costanzo.

In comune con Carmelo Bene, Costanzo aveva l'amore e la devozione per Ennio Flaiano.

"La domenica, per strada, a volte, si vedono anche i mariti," scriveva Flaiano.

Una citazione, in questo contesto, senza nessuna pertinenza. Ma ogni volta che ripenso a Flaiano, tra tutte le cose meravigliose che ha scritto, chissà perché, mi ricordo sempre questa. Perché è una frase che contiene un che di lampante e di sibillino nel medesimo tempo. Perché forse rimanda a un'Italia scomparsa o che, invece, forse, è sempre esistita e sempre continuerà a resistere. E poi è una frase che, a pensar male e in malafede, evoca con eleganza anfratti di amabili sconcezze, di tresche, di piccolezze da provincia, ma anche di solitudini colmate da presenze assenti.

Trovo sempre sconvolgente come una frase del genere, dall'apparenza neutra, sobria, breve, in realtà sia un contenitore di svariate suggestioni, emozioni, riflessioni, probabilmente sbagliate e irrilevanti. Ma è la somma delle irrilevanze che, da qualche parte, tende a comporre un senso alle cose. Un destino.


Ma torniamo a Maurizio Costanzo. Col suo programma più famoso è andato in onda dal teatro Parioli, quotidianamente, per decenni. È un uomo ricco, colleziona tartarughe in forma di soprammobili, ama smodatamente gli animali, detesta la mondanità, è andato a cena dalla signora Angiolillo, ex mega reginetta dei salotti buoni, solo due volte; preferisce i pranzi alle cene.

Ha fama di non essere pettegolo e di saper mantenere i segreti.

Per questa ragione, di segreti ne conosce a tonnellate.

La gente trova confortante poter andare a raccontare dei segreti a un giornalista.

Compra quadri di Botero, fa ironia sulla sua totale assenza di bellezza, è orgoglioso dei figli, prova un'ammirazione incondizionata per i grandi attori.

Una volta chiese a Totò:

"Come si trova a lavorare con Pasolini?" e Totò rispose:

"Noi attori siamo come i tassisti. Andiamo dove vuole il cliente".

Tutti dipingono Costanzo come un uomo scaltro, uno che sa il fatto suo. Io, sarò uno sprovveduto, ma tendo a scorgere invece delle ingenuità genuine alle volte in lui. Rimase molto colpito una volta che scese in un locale con Giorgio Gaber e Paolo Villaggio. I vicini di tavolo, eccitati dalla popolarità di questi clienti, iniziarono ad attaccare bottone e Gaber, a muso duro, intimò loro:

"Non intendiamo fare comunella".

Questo piccolo aneddoto me lo racconta ancora oggi con una lieve inquietudine, come se avesse scoperto in quella circostanza una fermezza prima di allora sconosciuta. L'arte di essere sgarbati come una rivelazione favolistica. In un mondo rovesciato rispetto a oggi nel quale, piuttosto, è il garbo a mostrarsi come un miracolo.

Gli chiedo quale ospite avrebbe voluto e non ha potuto avere.

Non ha esitazioni:

"Papa Wojtyla".

Lo dice con un rammarico sprovvisto di qualsiasi presunzione. Forse, invidia un poco Bruno Vespa che lo ebbe in collegamento telefonico tempo fa. Il papa disse "pronto" e Vespa pianse su due piedi. La gente, a casa, rise.

Costanzo era grande amico di Gassman e di Sordi e di tanti altri ingegni multiformi che adesso sono morti. Per questa ragione, Maurizio Costanzo, alle volte, si sente solo. Anche questa è la vecchiaia, ma lui continua a non darle spago.

Scrisse e interpretò la prima sit-com italiana. S'intitolava *Orazio*. Faceva ascolti mostruosi. All'epoca, era un oggetto misterioso. Di colpo, Costanzo recitava.

Michelangelo Antonioni telefonò per fargli i complimenti. Un atto doveroso. Il maestro dell'incomunicabilità s'inchinava al più grande comunicatore della tv italiana.

Un altro grande amico gli manca, si chiamava Alberto Silvestri. Era il suo co-autore. Filtrava insieme alla redazione del teatro Parioli una media di cinquemila lettere a settimana. L'Italia intera smaniava per diventare famosa attraverso Maurizio Costanzo, in onda dal teatro Parioli.

Invece, divenne famosissimo il ministro della Sanità, Francesco De Lorenzo. Si accomodava da Costanzo e ci faceva sapere, a ogni piè sospinto, quanto era bravo e virtuoso. Invece, si rivelò l'opposto. Intortò tutti gli italiani, sfatando il mito di Costanzo che sembrava dovesse saperla sempre più lunga di tutti. Non era così. Era ingenuo come tutti gli altri italiani. Pronti a credere a tutto per poi, quando l'incanto finisce, essere pronti in un istante a non credere più a niente.

Come i bambini, gli italiani sono sempre bambini. Una fortuna e una condanna.

Molti fermano Maurizio Costanzo per strada e gli rendono nota la loro nostalgia per quella trasmissione che ha fatto epoca. Lui, invece, non prova nessun rimpianto.

La televisione odierna tende a non riconoscerla.

Dice:

"Mi piace vederla senza volume".

Va in bagno. Torna da me. Stiamo per salutarci.

Mi dice:

"Lo sai che non sono mai più passato davanti al teatro Parioli?".

Non dà spago alla vecchiaia.

Forse, un poco, alla nostalgia.

# 13.

## Mia madre

La mamma è bella.
La mamma è buona.
La mamma è brava.

TONY PAGODA, pensierini in prima elementare

Napoli. Molti anni fa.

Agli occhi dei miei genitori, i nostri vicini di casa, i signori Belli, erano quanto di più onesto, perbene e garbato il mondo potesse concepire. Ed era vero.

Quest'altissima considerazione dei signori Belli, per i miei genitori, derivava esclusivamente dalla loro provenienza geografica: il Trentino-Alto Adige.

I Belli provavano una nostalgia immensa, dolorosa per il Trentino. Per questa ragione, avevano arredato la casa napoletana come se fosse una baita. Il soggiorno possedeva un lungo tavolo in pino, corredato da una panca a "elle" anch'essa in pino, frutto del lavoro di falegnami dalle abilità inaudite. Tutte le pareti erano ricoperte di legno. Ogni tanto ci si sedeva lì per chiacchierare con i nostri vicini.

Il signor Belli proponeva puntualmente una grappa delle sue parti.

Si declinava. Lui non declinava.

Ho un ricordo felice di quella baita a Napoli e per questo motivo continuo a sognare di possederne una. Non importa dove.

Un lunedì, piuttosto eccitati, di mattina presto, i Belli raccontano ai miei genitori di essere stati la domenica a un bel matrimonio. C'erano invitati eleganti e importanti. Così importanti, da annoverare addirittura il regista Franco Zeffirelli. I miei pongono domande relative al menu e ai dettagli del vestiario. Vengono esaudite le loro curiosità.

Poi, di routine, mio padre va al lavoro e mia madre riprende pacificamente a sbrigare le faccende di casa. Dopo qualche ora, si ferma e attacca il primo, imperdibile rituale quotidiano: la telefonata con zia Maria. Il copione era fisso e prevedeva sempre, salvo fatti eccezionali, queste due precise domande:

1) Cosa prepari da mangiare, oggi?
2) Come è venuto quello che hai preparato ieri?

Sbrigato il questionario obbligatorio, che prevede una permanenza sull'argomento di almeno quarantacinque minuti, mia madre accenna a riferire a zia Maria i racconti dei signori Belli in merito al matrimonio importante al quale avevano partecipato. Mia zia prorompe in un "oh" di corposa sorpresa quando sente pronunciare il nome Zeffirelli. Mia madre posa la cornetta e non ci pensa più. Comincia a progettare il pranzo e, soprattutto, la cena.

Il "soprattutto" della frase precedente si riferisce a mio padre, un uomo piuttosto esigente in fatto di mangiare.

Comunque, dopo aver sviluppato delle idee culinarie che le sembrano soddisfacenti, mia madre organizza un pranzo per noi figli, si dedica poi a un riposo pomeridiano e, quando si sveglia, prende una decisione che ha il sapore di una cosa naturale e ineluttabile.

Una cosa che va fatta.

Però, attende.

"La faccio più tardi questa cosa," pensa.


Si fa ora di cena. Mio padre ritorna dal lavoro. Si mangia in un silenzio normale, punteggiato da frasi abituali. Un clima incolore. Privo di tristezza. Privo di felicità.

Dopo cena, con calma, mia madre si chiude nella stanza da letto a chiave. Si avvicina al telefono e dà vita alla decisione che ha preso dopo il riposo pomeridiano: telefona alla signora Belli.

Risponde lei in persona. Mia madre camuffa abilmente la sua voce e, con una serietà da diplomatico, appoggiandosi su un accento toscano che aveva imparato quando aveva vissuto anni addietro a Firenze, dice alla signora Belli le seguenti parole:

"Signora, sono l'assistente personale del maestro Zeffirelli".

"Sì?!" risponde traballante la signora Belli.

"Lei era al matrimonio ieri, vero?"

"Sì," dice emozionata la signora Belli.

"Lei è quella bella signora con i capelli corti castani, giusto?"

"Oddio, forse, sì, dovrei essere io," dice la signora Belli.

"Benissimo. Il maestro, questo è un gran segreto che le dico, sta preparando il suo nuovo film e in questa nuova opera ritiene di non doversi servire di attrici professioniste. È rimasto profondamente colpito da lei e vorrebbe incontrarla al più presto per farle un contratto da protagonista. Dovrebbe venire a Roma al più tardi dopodomani e cominciare anche le prove dei costumi, delle pettinature, capisce?" dice mia madre, facendo somma attenzione ad aspirare tutte le "c" che capitano nelle parole.

"Ma io non so recitare!" dice spaventata, ma assai compiaciuta, la signora Belli.

Mia madre, a questo punto, si fa quasi severa:

"Però l'ho già detto prima, signora, non mi faccia ripetere le cose: il maestro non vuole attrici professioniste in quest'opera. Ci penserà lui a farla recitare. Farebbe recitare anche gli scogli, se lo volesse, il maestro Zeffirelli".

"Va bene," dice in preda a un'incertezza felice, la signora Belli.

"Va bene," dice mia madre, "allora domattina il maestro le telefonerà personalmente per darle ulteriori informazioni. Arrivederci e le mie più vive congratulazioni."

Mia madre posa la cornetta e raggiunge la famiglia in soggiorno.

Come sempre, ci si mette tutti in silenzio a guardare la televisione.

Trascorrono cinque minuti. Poi, dal pianerottolo, inizia a sentirsi un tramestio, dapprima cauto, poi più tumultuoso. Voci eccitate, sovrapposte, incomprensibili, si accavallano.

Mio padre dice: "Che succede?".

Mia madre non risponde e continua a guardare la televisione.

Il campanello della porta. Mio padre va a guardare nello spioncino e scorge all'esterno, distorta dal grandangolo, tutta la famiglia Belli al completo. Madre, padre e quattro figli. Immersi in un complesso stato emotivo che abbraccia più sentimenti: eccitazione febbrile, sbigottimento, stupore estatico, vertigini di pericolosissima euforia, confusione mentale diffusa.

Mio padre li fa accomodare, loro entrano in uno strano silenzio. Borbottano sillabe, ma l'emozione impedisce loro di andare oltre il dittongo. Le parole sono incomplete. Mio padre fraintende e crede che sia accaduto qualcosa di grave e luttuoso, così decide di interrogare l'esponente della famiglia che lui stima in modo più consistente: il figlio primogenito.

"Che è successo, Antò?" chiede mio padre.

Mia madre, intanto, si è fatta premurosa, accorta e accorata. Ha preso la mano della signora Belli, teme il mancamento. Le offre una camomilla. La signora Belli scuote la testa in segno di diniego. C'è tensione, preoccupazione.

Antonio, il primogenito dei Belli, un uomo mastodontico, con una barba importante, non riesce a parlare. È paralizzato dalla notizia. Perché qualcosa è trapelato, sebbene in modo frammentato. La parola "notizia" è trapelata. I Belli hanno una notizia da darci. Noi siamo in attesa. Eccitati anche noi, a questo punto.

Il signor Belli raccoglie le forze, indossa di nuovo il ruolo che gli compete, e lo dice tutto d'un fiato, come se poi dovesse morire subito dopo.

Dice:

"Mia moglie è stata chiamata da Franco Zeffirelli per fare la protagonista del suo prossimo film".

Ecco. Ce l'ha fatta. Sui loro volti si dipingono espressioni d'incontrollabile, assoluta felicità.

Per la prima volta da quando vivono a Napoli, non provano nostalgia per il natio Trentino.

Sono radiosi. Sono arrivati a un punto della vita nel quale non hanno più nulla da chiedere.

E tutto questo perché il maestro Zeffirelli, tra tutte le donne italiane, vuole lei: Allegra Belli.

Mia madre si apre in un sorriso che non ho mai più dimenticato e le butta le braccia al collo. Sinceramente felice, mia madre. Mia sorella si accoda. Ha le lacrime agli occhi, mia sorella. Come se il futuro successo planetario della signora Belli, in qualche modo, irradierà anche noi vicini di casa. E questo è bello. Perché è una novità, dentro la routine del nostro condominio borghese.

Mio padre, io, mio fratello, il signor Belli e i suoi figli, ci regaliamo corpose, virili pacche sulle spalle, come una squadra compatta e laboriosa, un gruppo ben assortito che ha fatto bene il suo lavoro e ora può goderne i frutti.

Mio padre si catapulta in cucina a prendere una bottiglia. Ha deciso, giustamente, che bisogna brindare.

Mia madre, sinceramente gioiosa, per un attimo crede che stia accadendo davvero. Crede sul serio che Allegra Belli sarà la prossima, struggente, indimenticabile eroina del nuovo ca-

polavoro dell'altero Zeffirelli e allora chiede con una sincerità totale:

"Allegra, ma hai parlato proprio con Zeffirelli?".

E Allegra, devastata da lacrime di commozione, balbetta
come una bambina:

"Non ancora. Domani. Per ora, ho parlato con l'assistente".

Mio fratello ha un sospetto, ma non lo lascia trapelare.

Torna mio padre, armato di vino e bicchieri. Tutto sta diventando incontenibile. E irripetibile.

La felicità è venuta a farci visita. Grazie al genio di mia
madre.

Si brinda. Si canta. Si specula fino allo sfinimento sul-
l'avvenimento. Si ricostruisce minuziosamente quando, in
che momento preciso, il maestro avrebbe notato la figura
smunta, fragile di Allegra. Un nome che finalmente le sta bene addosso. Dopo decenni di nostalgia delle Dolomiti e dei
formaggi freschi. E poi si ragiona su scenari futuri: antepri-
me, serate di gala, viaggi esotici, conoscenze prossime di figure importanti, ricevimenti dal presidente della Repubblica, premiazioni, amicizie ormai divenute improrogabili con
Sordi, Gassman, Totò; si prospetta uno scenario, verosimile,
secondo il quale questi attori importanti sono già, ora, in questo istante, a cena in smoking a chiedersi chi è Allegra Belli
e quando, finalmente, avranno l'immenso privilegio di co-
noscerla. È una vertigine e Allegra è stordita, fatica a stare
dietro a tutte queste ipotesi che, va detto, mia madre e mia
sorella prospettano con una fantasia e una spregiudicatezza
ammirevoli.

Mia madre lascia anche timidamente trapelare, ad arte, la
parola "Oscar" e mio padre annuisce vigoroso a questa parola, come a dire che, sì, a questo punto, tutto è possibile.

"Andiamoci piano," dice il signor Belli, cercando di non
far montare la testa innanzitutto a se stesso e ribadendo a tut-

ti che loro, i Belli, hanno origini montanare, legate alla terra e alla fame.

Ma è una voce in minoranza, immediatamente stigmatizzata dall'euforia di mia madre, di mia sorella e dei figli dei Belli.

Allegra Belli, sei tutti noi.

Quando, alla fine, si prospetta il temporaneo saluto sul pianerottolo, per affrontare la notte insonne e tumultuosa e godere dell'eccitazione degli incredibili avvenimenti che faranno capolino il giorno dopo, mia madre dice ad Allegra Belli:

"Quando sarai famosa, non ci dimenticare".

E Allegra, con le lacrime agli occhi, bacia mia madre e le dice con un filo di voce:

"Io non ti dimenticherò mai".

E mia madre, sorridendo, le dice:

"L'hai detta benissimo questa battuta, Allegra".


Tutti ridono. Le porte si chiudono. Ancora vociare eccitato che trapassa le pareti.

Nella mia casa, si consumano gli ultimi commenti di sincera contentezza per quanto sta accadendo ai vicini di casa, ma mio fratello sbircia mia madre.

E lei lo sa. Per questo, evita di guardarlo. E allora mio fratello scruta mio padre, ma questi ha già ripreso a fissare la televisione e non si accorge di mio fratello.

Allora mio fratello cerca e trova lo sguardo di mia sorella. Mio fratello le fa un cenno che allude a mia madre, ma mia sorella non capisce cosa va cercando mio fratello.

Intanto, è calato il silenzio e mia madre, seduta sul divano a fianco a mio padre, fissa anche lei la tv. Con una serietà sospetta.

Mia sorella volge lo sguardo a mia madre e quando riconosce in lei quell'inconsueta serietà, inizia a comprendere.

Mio padre si accorge che i miei fratelli stanno osservando con insistenza mia madre.

Prende a guardarla anche lui.

Mia madre è eroica. Sa che tutti la stanno come ispezionando, ma continua a far finta di nulla. Fissa la tv, serissima. Si accende una sigaretta. Per spezzare la tensione, finge di ridere a una battuta che qualcuno ha detto in televisione. Però, in televisione, non hanno fatto nessuna battuta, perché c'è solo un vecchio esponente della Democrazia cristiana che sta addormentando tutti gli italiani con le sue parole auliche e incomprensibili.

Dunque, mia madre ha commesso un piccolo errore.

Allora, mio padre si alza, va a spegnere la tv. Si volta, è in piedi, fissa mia madre, che ha sollevato lo sguardo su di lui.

Si è fatta stupita, mia madre, come a dire: "Ma perché adesso hai deciso che la tv va spenta?".

I miei fratelli e io non diciamo una parola.

Mio padre le regala uno sguardo davvero accigliato, che mette veramente paura e poi dice, con un tono che non ammette nessuna possibilità di replica:

"Adesso, glielo vai a dire".

Mia madre non batte ciglio. Si alza e fa un gesto che porterò nella memoria tutta la vita: prende le chiavi di casa. Questo gesto presagisce un fatto preciso: dovrà trascorrere un tempo lungo con la famiglia Belli, perché l'ha fatta grossa, e allora conviene prendere le chiavi di casa, così i restanti componenti della famiglia possono andare a dormire senza l'ansia di doverle aprire la porta nella notte.

Però, prima di uscire di casa, mia madre si volta a guardarci.

E si apre in un sorriso indimenticabile, da bambina furba. Vuole sottolineare che anche stavolta ci ha fatto ridere. Noi tutti la stiamo guardando e non riusciamo a trattenerci: cominciamo a ridere. Mio padre abbandona il campo per ultimo: infine ride pure lui, con le lacrime agli occhi. Non riusciamo più a fuoriuscire dalla trance della risata. Sembra proprio che mai più potremo tornare a uno stato di normalità.

Condannati a ridere per l'eternità, questo crediamo che stia accadendo.


Non so bene cosa mia madre abbia detto ai signori Belli. Posso però immaginare che la delusione sia stata enorme e lancinante, quando hanno scoperto che non era vero niente. Deve essere per forza così, perché i rapporti, da quel giorno, si raffreddarono e solo dopo molto tempo si riacquistò un'intimità che tuttavia non raggiunse mai più i vertici di un tempo.


Anni dopo, io e mia madre siamo andati a pranzo in un ristorante sul mare. C'erano poche persone, perché era ancora presto per pranzare. Di sotto, c'era un porticciolo malmesso e l'acqua non odorava di buono. Abbiamo preso due fritture di calamari. E parlato poco.

Lei guardava il mare. Anche io guardavo il mare. Abbiamo bevuto due birre. Abbiamo terminato la frittura.

Poi, io ho detto:

"Te lo ricordi lo scherzo che facesti ai Belli?".

Lei si è voltata verso di me:

"Sì, me lo ricordo, fu un bello scherzo. Uno scherzo riuscito".

Così ha detto, con la tristezza negli occhi.

Queste, sono state le ultime parole di mia madre.

Uno scherzo riuscito.

# Ringraziamenti

Questo libro non esisterebbe senza l'amicizia, la pazienza, la collaborazione, la generosità, il supporto e l'intelligenza di Gabriele Romagnoli.

E non esisterebbe senza la folgorante apparizione del geniale fotografo Jacopo Benassi, alias Tonino Paziente, che mi ha accompagnato lungo le diverse avventure che hanno partorito questi racconti.

Un ringraziamento fondamentale va alla mia amica Marina D'Amico che, anni fa, mi spedì al festival di Sanremo facendomi capire molte, variegate cose sull'umanità e sulla canzone.

Grazie a Carlo Feltrinelli, Alberto Rollo, Gianluca Foglia e alla strabiliante Inge, che ha saputo commuovermi veramente.

Voglio ringraziare in primo luogo per l'amicizia, e poi per tutto il resto, Roberto Minutillo Turtur.

Grazie a Rosaria Carpinelli che ha creduto in me quando io non credevo in me.

Grazie a tutti i protagonisti di questi racconti che mi hanno gentilmente ricevuto: Enzo Paolo Turchi, Carmen Russo, Silvan, Ezequiel Lavezzi, Riccardo Bigon e il Napoli calcio, Antonello Venditti, gli abitanti e i villeggianti di Stromboli, e Maurizio Costanzo.

E poi il mio amico e idolo Maurizio Ricci.

Grazie ad Antonio Monda.

Grazie alla redazione di "GQ".

Grazie a mio padre, mio fratello Marco, mia sorella Daniela e mia madre, mio massimo riferimento in materia di fantasia, imprevedibilità e creatività.

Grazie ai miei meravigliosi figli Anna e Carlo e alla mia straordinaria Daniela che, semplicemente, mi rendono davvero felice ogni giorno.

E io tutto avevo messo in conto, meno che la felicità.

# Indice